けた違いに儲かる先端技法が1冊でわかる

物販×クラウドファンディング 実践大全

MERCHANDISE SELLER×CROWDFUNDING

成田 光

技術評論社

JN127010

副業会社員が1商品2,686万円を売り上げた、資金不要・独占販売・無在庫の物販技術を公開します

ま　え　が　き

　本書を手にとっていただきありがとうございます。物販クラウドファンディング専門家の成田光と申します。

「価格競争やアカウント閉鎖リスクに悩まされる転売ビジネスから卒業したい」
「後ろめたさがなく、正々堂々と家族や友人に話せるビジネスがしたい」
「今はサラリーマンだけれど、いずれ会社を辞めて独立したい」

　これは、毎日のように私のところに持ち込まれる相談のほんの一例です。物販初心者から月利100万円を超える凄腕の物販経験者まで、物販クラウドファンディングに興味を持つ人が増えています。

　理由は明確です。資金不要、独占契約、価格競争なし、無在庫販売で、利益は一度に数十～数百万円。その後のビジネス展開でさらに利益拡大。しかも副業から取り組めてどう転んでも損しない。さらに社会的信用が高く、家族や友人に誇れるビジネス。それが本書でお伝えする成田式・物販クラウドファンディングです。

　「そんなおいしい話あるか！」と思われた方もいるでしょう。たしかに、物販クラウドファンディングは誰でも楽に稼げるビジネスとはいえません。ほかの物販と比べてもタスクが多く、思考する作業も多いので、向き不向きがあります。ただ、物販初心者から経験者に至るまで誰でも取り組むことができ、十分な利益が得られることも事実です。会社員で副業から始めて、1商品で2,686万円を売り上げた方もいます。物販クラウドファンディングは利益率が約30％なので、800万円前後の利益が得られた計算です。これはかなりヒットした例ですが、1商品で300万円程度の支援（利益約100万円）であれば無理なく実現できます。

　私も物販クラウドファンディングに行き着くまでは、さまざまな物販を経験しました。きっかけは朝5時に家を出て夜9時に帰る会社員生活に不安を覚えたことと、もっと家族との時間を確保したいと思ったことです。お金のことを気にせずに趣味のスノーボードに没頭したいという夢もありました。

最初は輸入転売、次に海外メーカー仕入れと取り組んできましたが、ライバルとの過当競争に悩まされます。輸入転売をしていたころは後ろめたさも感じていました。試行錯誤を経て、ようやくたどり着いたのが物販クラウドファンディングです。新商品を日本市場でテスト販売したい海外メーカーのニーズと合致し、独占契約を次々と獲得できました。現在までに独占契約を結んでいる海外メーカーは20社を超え、立ち上げたクラウドファンディングは100件以上、合計で2億円以上の支援が得られています。

　物販クラウドファンディングを始めてよかったことは、まだ市場にない魅力的な新商品をPRして広めていくことの面白さに気づけたことです。もちろん、家族との時間、趣味の時間も確保できていますし、家族に堂々とビジネスのことを話しています。また、**物販クラウドファンディングを通じて「モノを売る力」というあらゆるビジネスに通じるスキルが身についたことで、一生自分の力で生きていく確信が持てました。**

　私は現在、物販クラウドファンディングに取り組むクライアントや、素晴らしい技術力で魅力的な商品を開発する法人様のサポートをしています。物販クラウドファンディングを多くの人に知ってほしいと思い、蓄積した技術を体系的にまとめ、即実践できるレベルまで落とし込んだのが本書です。本書の技術を身につけたクライアントは以下のようにプロジェクトを成功させています。

▶ ゴルフの常識を覆したゴルフパターで3,432万円の支援
▶ バイク型の電動アシスト自転車で2,099万円の支援
▶ シューズまで作れる3Dプリンターで1,801万円の支援
▶ 取っ手がとれて収納に困らない鋳鉄フライパンで826万円の支援
▶ 完全丸洗いできるペットベッドで799万円の支援

　そのほか、スニーカー、ダーツゲーム、時計、ポータブルジム、リュック、クーラーボックス、座椅子、ロケットストーブ、ランタン……。紙面の都合上すべては紹介できませんが、得られた実績は私の会社のサイトに掲載しています（S＆Cパートナーズ合同会社／https://crowd-funding.co.jp/performance/）。

　クラウドファンディングのプロジェクト終了後は誰もが知る有名店舗への卸販売、自社ECサイト販売、Amazon、楽天などでの販売など、一般販売で利益拡大できます。そのため、1回爆発的に売れて終わりではなく、継続収入を得ながら事業を拡大していくことが可能です。**ここまでいけばビジネスオーナーとして、自分の足で自分の人生を歩くことができるようになります。**

　本書が、自分の人生を最高に楽しむ力を身につけるきっかけとなれば幸いです。

「物販クラファンの成功を加速するファイル集」ダウンロード方法

本書をご購入いただいた方の特典として、**「物販クラファンの成功を加速するファイル集」**のダウンロードサービスをご用意しました。

ご自分で最初から作らなくてもひな形として有効活用できる特典や、タスクを効率的に進めるチェックリストなど**8種類のファイル**をお渡しします。

特典を活用していただくことで、物販クラウドファンディングのタスクをスムーズに進められるようになるはずです。

▶特典は以下のQRコードまたはURLからダウンロードできます

「物販クラファンの成功を加速するファイル集」は、以下のQRコードまたはURLからダウンロードしてください。P.5に示す、すべてのファイルをダウンロードすることができます。

https://gihyo.jp/book/2022/978-4-297-13208-8/support

▶ダウンロードにはIDとパスワードの入力が必要

ダウンロードにはIDとパスワードの入力が必要です。以下を入力してください。

```
ID      ： cf1234
パスワード ： tokuten
```

なお、本ダウンロードサービスは予告なく終了する場合があります。あらかじめご了承ください。

「物販クラファンの成功を加速するファイル集」一覧

ファイル名	ページ数
はじめての方も手続きがスムーズにできる **「食品衛生法突破マニュアル」**	P.93
メーカーとトラブルなく独占契約できる **「独占販売契約書」(英語版・日本語訳)**	P.131
メーカーとの交渉を効率的に進める **「メーカー打診管理シート」**	P.138
しっかりとしたシミュレーションで利益を確保する **「利益予測&リターン計算表」**	P.154
支援が得られるLP作成の参考に **「10個のLP成功事例」**	P.202
支援が得られるLPになっているか最終確認できる **「LPチェックリスト」**	P.202
LPデザインの外注で失敗しない **「LPデザイン指示書」**	P.310
物販ビジネスをさらに飛躍させる **「融資が得られる重要ポイント」**	P.315

Contents

Chapter 2　物販×クラファンを始める前の準備

Chapter 3 日本で大ヒットする 海外商品を見つけるポイント

Chapter
5

30%以上の利益率を確保する！ 価格設定と利益計算

Chapter 6 支援者が思わずポチってしまう 商品ページ(LP)の作り方

Chapter
7
クラファン成功者の
プロジェクトの裏側を公開

Chapter **8** 安全・確実に支援者に商品を配送する

Chapter 9 クラファン後のビジネス展開で利益拡大しよう

Chapter 10 物販×クラファンの成功を さらに加速するために

欠点のない
最強の物販!?

物販×クラファンの全体像とメリット・デメリット

欠点のない最強の物販!?
物販×クラファンの全体像とメリット・デメリット

なぜ物販クラファンが「メーカー単位の無在庫販売」「究極のいいトコどり物販」といわれるのか? 物販クラファンの全体像やメリット・デメリットを、最近の傾向などをまじえてお伝えします。「クラウドファンディングという言葉は聞いたことがあるけど正直よくわからない」という方は本章からご覧ください。

1 1 せどりや 転売で感じた限界点

　物販クラファンの話をする前に、まずはせどり、転売など従来の物販について簡単にお伝えします。私は、今でこそ物販クラファンに完全に舵を切っていますが、独立するまでは長く輸入転売を実践し、月利94万円とそれなりの成果を出していました。

　しかし、その後徐々に稼げなくなったのです。この経験から感じたことは、結局、転売ビジネスは小さな市場のなかのスキマ産業で、誰かが参入すればすぐに稼げなくなる点です。

　今でも「知る人ぞ知る」の市場を見つければ利益を出すことはできます。私自身、時間をかけてコツコツとやり続けていれば、現在も月利50万円程度は得られたでしょう。しかし、転売をずっと続けられたかというと、答えはNoです。そこで、経験談も含めて、私が輸入転売から足を洗った理由をお話しします。

① もはや根性論！ 延々と続くリサーチ地獄

　せどり、転売は基本的に、何も考えずに淡々とリサーチ作業をこなすだけなので誰でもできます。私も何か独自のノウハウを開発して実践したわけではなく、とにかく数をこなしていました。

　しかし、「誰でも稼げる」ビジネスはライバルがあっという間に増えて熾烈な戦いになり、価格競争によって稼ぐのが難しくなります。この点は、せど

り、転売が稼げない理由でよく言及される点です。

さらに、ライバルの増加とともに、メインの販売先であるAmazonでは、転売ヤーを狙い撃ちにした規制が日を追うごとに増えていきました。規制により転売NG商品が大幅に増え、転売OKな商品に何十人も殺到するようになり、すぐに価格競争で値崩れして利益が出ない。**過剰在庫分を売り切るために、赤字になるまで値下げすることも珍しくありません。**

それでもなんとか利益を確保しようと、毎日毎日、必死に新規リサーチをして全力でペダルをこぎ続けました。リサーチ以外に打ち手がないからです。しかし、私は家族との時間を大切にしたいと思って物販を始めたので、これではなんのためなのかわからなくなってしまいました。

⚠ Amazonアカウント停止、閉鎖のリスク

Amazonでは転売行為に対する規制が厳しくなっています。具体的には規約違反によるAmazonアカウントの停止、閉鎖のリスクです。**アカウント閉鎖になってしまうと、異議申し立てが認められない限りは二度と同じアカウントを使用してAmazon販売ができなくなります。**しかもFBA倉庫（Fulfillment by Amazonの略。Amazon専用の倉庫のこと）に残っている在庫はすべて返送されてしまい、90日間の売上凍結、入金停止と、非常に厳しい措置が課されます。

また、Amazonでは明確な規約違反以外にもアカウントの健全性がチェックされます。具体的には注文不良率、出荷遅延率、出荷前キャンセル率です。せどり、転売の不良品の発生や出荷遅延のリスクは知られていますが、トラブルが起きるとアカウント閉鎖リスクはどんどん高くなるのです。

ただでさえリサーチに時間をとられていた私ですが、さらにアカウントの停止、閉鎖を避けるための、利益に直結しない作業まで増えてしまいました。このときに、**「もう転売は無理かな……」**と考えるようになっていきました。

⚠ キャッシュフローの減少、収益悪化のリスク

物販でよく問題となるのが資金不足です。商品を仕入れるには、仕入代金が必要です。どんなに売れそうな商品でも、資金がなければ仕入れることができません。資金不足で泣く泣く仕入れを諦めるといったことも発生します。

また、**売上金が入金されたら、その分仕入代金に使うので、なかなか手元にお金が残らないといった問題も発生します。**このようなキャッシュフローの問

題は、従来の物販では常に課題とされてきました。

　しかも、商品が売れなければ、その分在庫を残すことになり、最悪赤字で売り切ることになります。資金繰りが苦しく、在庫リスクを抱えていれば精神的にも落ち着かず、やっていて楽しくありません。

⚠ アカウント閉鎖リスクの高い無在庫転売や予約転売

　キャッシュフローの改善と在庫リスクをなくすため、**図1-1**のように注文を受けてから商品の仕入れをする無在庫転売が流行した時期もあります。無在庫転売の一種で、まだ発売されていない新商品を消費者が予約し、発売前に売り切って当日発送する、予約転売という手法もあります。物販経験者であれば一度は聞いたことがあるでしょう。

図1-1　通常の転売（単純転売）と無在庫転売の違い

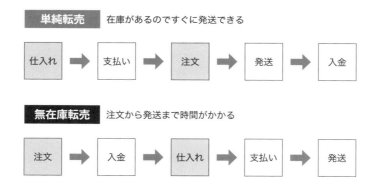

　しかし、この無在庫転売はとても問題のある方法です。無在庫転売は注文があってから仕入れるので、発送までに時間がかかります。そのため、検品をする時間的余裕もなく、発送遅延や不良品発生のリスクが高くなります。また、メーカーの生産が終わってしまい、仕入れが不可能になる可能性もあります。予約転売に関しては発売当日に届けるのが前提なので、発送遅延は大きなクレームのもととなります。

　このようなことが起きれば、Amazonではアカウント閉鎖リスクが高くなります。また、メルカリ、ラクマ、ヤフオク！では明確に無在庫転売や予約転売を禁じています。

! 社会的信用が低く後ろめたい

これはせどり、転売の経験者の多くが口にするのですが、私も転売について後ろめたさを感じていました。ただ商品を右から左に流すだけのせどり、転売に対して周囲から後ろ指を指されているような気がしていたのです。

実際、せどらー、転売ヤーに関する世間の風当たりは強く、Amazonだけでなく楽天やメルカリも規制を強めています。また、メルカリやラクマといったフリマサイトでは、転売ヤーは非常に敬遠される傾向にあります。

一生懸命ビジネスをしても、利用するプラットフォームからは嫌われ、家族や友人にも堂々と話せないなんておかしいと思いませんか？ 価格競争やアカウント閉鎖リスクに脅え、人に隠れてこそこそと物販をしてもモチベーションを維持するのはかなり難しいものがありました。少なくとも、私は一生続けられるものではないと感じていました。

1 2 メーカー仕入れも 価格競争が起きている？

転売ビジネスに限界を感じた私は、次に **「メーカー仕入れ × Amazon販売」** に取り組むことにしました。ちなみに、メーカー仕入れのノウハウは、Chapter 4でお伝えするメーカー交渉にも活かせます。メーカー仕入れを経験してきた方は、物販クラファンにスムーズに入れると考えています（もちろん物販未経験の方でもまったく問題ありません）。

! メーカー仕入れとは？

一般的に商品流通の流れは「生産メーカー ➡ 卸売業 ➡ 小売店 ➡ 消費者」 となります。せどり、転売は卸や小売から商品を仕入れる方法ですが、転売から足を洗った私が次に実践したのが、卸や小売ではなく生産メーカーと直接交渉して商品を仕入れるメーカー仕入れでした。

仕組みはいたってシンプルで、今まで卸や小売から仕入れていた商品を、メーカーに直接「仕入れさせてください」とお願いするだけです。ただこれだけの違いなのですが、メーカーと交渉するという点が、せどり、転売との大きな違いになります。

メーカー仕入れは、物販界隈では一大ブームとして流行しています。メーカーから商品を直接、継続仕入れすることで収入が安定しやすく、商品の品質も担保されるのでアカウント閉鎖のリスクもほとんどないからです。適正価格を維持して販売すれば、メーカーからも消費者からも評価が得られる社会的信用の高い手法です。

⚠ メーカー仕入れで月利200万円達成！

輸入転売ビジネス出身の私が取り組んだのは海外メーカー仕入れです。しかし、最初は外国との商習慣の違いや時差、交渉力の低さからなかなかメーカーからの仕入れができませんでした。

> ▶ メーカーにメールしても返信があるのは10通に1通
> ▶ 返信があったメーカーと交渉して仕入れができるのは5社に1社

つまり、50社にアプローチして仕入れができるのは1社と、かなり低確率でした。しかし、メーカー仕入れは一度取引が決まれば、継続的な仕入れができるので安定した売上を出すことが可能です。私は何度もメーカーと交渉を重ね、仕入れができるメーカーを徐々に増やし、転売卒業で減った売上をカバーできるようになりました。このころは何千回と海外メーカーと交渉していました。

「〇〇と回答したら□□って返信がありそう」

「この質問はあとからにして今はメーカーの要望を確認しよう」

「〇〇ドルで仕入れたいから△△を妥協点に突破しよう」

など、1日中、交渉をどう進めるか頭から湯気が出るほど考えていました。大事な返信は1通で5時間かけて考えたこともあります。

この当時の「大量の交渉経験」が、今の物販クラファンでも非常に役に立っています。ちなみに、本書ではメール1通で5時間もかけなくても大丈夫なように説明しますのでご安心ください。私は試行錯誤しながらメーカー仕入れに取り組んで、1年ほどで月利200万円を達成できるようになりました。

⚠ しかしすぐに価格競争が発生

私は「これでやっと安定した物販ビジネスが続けられる」と安堵しました。

しかし、感度の高い方はすでにお気づきかもしれませんが、ブームといえるほど流行ってしまったらビジネスのうま味は減ります。メーカー仕入れについても、今度はメーカー仕入れをしている人同士の競争になってしまい、また値下げ合戦が始まってしまいました。

よく考えれば道理です。Amazonでよく売れていて、私たちと取引してくれる規模のメーカーは、かなり限られています。その限られた数のメーカーに、メーカー仕入れをしている人が一斉に交渉メールを送るわけです。しかも販路はなぜかすべてAmazon。何十通もメールを送られたメーカー担当者はどう思うでしょうか？　私だったら確実にすべて断るでしょう。

基本的に、メーカー担当者はAmazon販売に抵抗がある人が多いです。なぜなら、Amazonはどこよりも安く買えるように設計してあり、多くのセラーが相乗りでAmazon販売すると、ほぼ間違いなく販売価格が下がるためです。そうなれば商品価値が下がり、利益は薄くなり、商品寿命は短くなります。

せどり、転売で価格競争が起きる原理と結局は一緒なので、メーカー側としてはあまり多くのセラーにAmazonで販売してほしくありません。Amazonで販売するにしても、商品を扱えるセラーを限定するはずなので、新たに参入する人は徐々に厳しい状況になります。

⚠ 唯一の解決策は独占契約を結ぶことだが……

ライバルが増えつつあるメーカー仕入れですが、価格競争を防ぐ唯一の方法があります。それが**「独占販売契約を結んで商品を独占する」**ことです。メーカーと独占契約を結ぶことができれば、**「日本で販売できるのは自分だけ」「商品を売りたいなら自分から仕入れないといけない」**という状態を作ることができます。これなら販売価格が乱れることはありませんから、メーカーも私たちも利益をとり続けることができます。

ただし、この独占契約は非常に難しいのです。「自分以外に卸してはダメだよ」という契約なので、メーカーにとってはリスクの大きい契約です。そのため、「年間最低6,000万円は販売してくれ」「最低でも1,000万円分は仕入れてくれ」など厳しいノルマが課されます。メーカー仕入れで私が独占契約を結べたのは1社だけでした。

この独占契約をいとも簡単にとれる方法が、本書のテーマである物販クラウドファンディングです。クラウドファンディングをメーカーに提案すると、驚くほどあっさりと独占契約が成立するのです。**現在までに私は100件以上のクラウドファンディングのプロジェクトを立ち上げ、総支援額は2億円以上に**

達することができました。また、この経験をもとに物販クラファンに興味のある方のサポートを行っています。

---

１ ３ 無在庫販売、独占契約を実現する クラウドファンディングとは？

それでは、いよいよクラウドファンディングについて本格的にお伝えしていきます。「Makuake」や「CAMPFIRE」がテレビCMを行っていることもあり、ここ数年でクラウドファンディングという言葉が浸透してきました。また、本書でお伝えする物販クラファンも2017年ごろから徐々に盛り上がり始め、2019年末にMakuakeが上場して以降、一気に認知されるようになりました。

もっとも、クラウドファンディングがどのようなものか、何ができるのかまで知っている人は多くありません。そこで、まずはクラウドファンディングの概要についてお伝えします。

(!) クラウドファンディングは全部で3種類

クラウドファンディングは、「群衆（クラウド）」と「資金調達（ファンディング）」を組み合わせた造語です。**融資や補助金以外の手段で不特定多数の人から資金調達させてもらうことを意味します。**クラウドファンディングは**図1-2**のような仕組みで成り立ちます。

図1-2　クラウドファンディングの基本的な仕組み

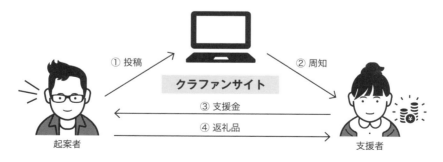

① 起案者 (実行者ともいう) がMakuakeなどのクラファンサイトでプロジェクト
の内容を投稿・公開する
② 支援者 (サポーターともいう) がクラファンサイトでプロジェクトをチェックする
③ 支援者は、共感したプロジェクトの起案者に対して支援金を支払う
④ プロジェクト終了後、起案者はお礼としてリターン (返礼品) を支援者に送る

　クラウドファンディングは主にリターンによって３つに分かれ、それぞれ特
徴が大きく違います (**図1-3**)。物販クラファンは、そのなかでも商品・サー
ビスをリターンとする「購入型クラウドファンディング」に該当します。

図1-3　クラウドファンディングの種類

種類	リターン	プロジェクト例
購入型クラファン	**まだ市場にない商品・サービス**	**物販、飲食店、映画、舞台、コンサート**
寄付型クラファン	なし	NPO、自治体、学校などの社会貢献的活動
金融型クラファン	株式、利息、配当	事業出資、ファンド、株式投資

　購入型クラファンでは商品・サービスをリターンとするので、物販に置き換
えれば、**起案者は出品者、支援者は消費者と同じ意味**です。また、クラファン
用語でよく出てくる**「支援」「応援購入」という言葉は、購入型クラファンの場
合は「商品を買う」という意味**になります。

① クラウドファンディングとECサイトの3つの大きな違い

　では、クラウドファンディングがAmazonや楽天のようなECサイトと何が
違うかというと、大きな点は以下の３つです。

■ 独占契約が必須になる

　購入型クラウドファンディングで起案できるプロジェクトは、まだ市場に流
通していない新商品・サービスに限定されます。新商品とは、完全な新商品の
ほか、シリーズの新商品（iPhoneの次世代モデルなど）、海外では流通してい
るが国内未上陸の商品です。これは購入型クラウドファンディングが、まだ存
在していない新商品を世のなかに送り出すために資金調達することが前提に

なっているからです。

　つまり、すでに国内で流通している商品は出品できません。そのため、**物販クラファンを実施する場合は、ほかに流通がないように取引先のメーカーと独占契約を結んでおくことが必要となります。私がクラファンを提案した途端に、メーカーと独占契約を結べるようになったのはこのため**です。メーカーも、クラファンではまだ流通していない新商品しか出品できないことは把握しています。もし海外メーカーが誰かと組んで日本でもクラファンプロジェクトを起案したいと思ったら、独占契約を結ぶしか方法がないのです。

■ 完全無在庫の予約販売で在庫リスクがない

　Amazonや楽天では、基本的に商品を仕入れたあとに消費者から注文があって発送しますが、資金調達を前提としているクラファンでは逆です。無在庫の状態で注文があり、支援金（売上金）が入金され、プロジェクト終了後に商品を仕入れて発送する仕組みになっています。**売れた分だけ仕入れて販売すればいいので在庫リスクがない**のです。そのため、**物販クラファンは「完全無在庫の予約販売」**といわれています。支援者も先行予約販売ということは承知しており、Amazonのように「明日にでも商品がほしい」という人はいません。

　AmazonやメルカリなどのECサイトでは無在庫は厳しく規制されています。これに対してクラファンでは、リターン商品配送が数カ月後となることが前提になっています。せどり、転売のような自転車操業的なビジネスモデルは無縁になります。

■ 支援者都合の勝手なキャンセル、返金が認められていない

　クラファンでは、基本的に支援者都合のリターン商品のキャンセル、返金が認められていません。これはプロジェクト終了後でも同様で、支援者都合の返品対応は原則禁止されています。物販経験者であればAmazonや楽天などで消費者のキャンセルに悩まされたことがあるかと思いますが、クラファンではこれがないのです。もちろん、発送遅延や不良品が発生した場合は返金対応しないといけないこともありますが、クラファン市場は商習慣がまったく違うのです。

① 急速に伸び続ける 購入型クラウドファンディング市場

　クラウドファンディングというと、ここ数年で急速に普及してきた印象があ

るかもしれませんが、原型といえる似た仕組みはかなり昔からありました。たとえば数世紀前、1冊の書籍を出版することに多大なコストがかかっていた時代は、書籍がクラファンに似た方式で出版されていました。製本する前に出版社が書籍に関する広告を出稿し、黒字に達する程度に予約購入の申し込みがあれば出版を決定するというものです。これは書籍をリターンと考えれば一種の購入型クラファンに近い仕組みといえます。

　もっとも、クラファンサービスの普及自体は歴史が浅く、世界最大手の「Kickstarter」ですらサービスの開始は2009年です。日本でも、2011年の東日本大震災の復興支援を目的とした寄付型クラファンをきっかけにクラウドファンディングが知られるようになります。その後、購入型クラファンでは最大手のMakuakeが2013年に創業すると、物販を含めて購入型クラファンが一般的に行われるようになっていきます。**図1-4**に示すように、**2020年の購入型クラファンの市場規模は前年比約3倍と急拡大しています。**物販に限らず購入型クラファン全体のデータではありますが、いかに購入型クラファン市場の需要が急拡大しているかを実感できるデータです。

図1-4　購入型クラウドファンディングの市場規模の推移

（単位：億円）

出典：一般社団法人 日本クラウドファンディング協会　クラウドファンディング市場調査報告書
http://safe-crowdfunding.jp/wp-content/uploads/2021/07/CrowdFunding-market-report-20210709.pdf

　MakuakeやCAMPFIREなどが積極的にテレビCMを打っていることや、コロナ禍で利用が活性化したのが大きいと見られています。そして、市場が伸びるにつれて、購入型クラファンは魅力的な新商品が適正価格で販売される場として認識されてきました。購入型クラファンの市場は今後も伸び続けるのではないかと考えられています。

1 4 　在庫、多額資金、価格競争全部不要！物販×クラファン 13のメリット

　物販クラファンのメリットを詳しくお伝えします。物販クラファンは既存の物販のいいトコどりをしているといっていいほどメリットだらけであることがわかってもらえると思います。

⚠️ 在庫リスクがない

　物販クラファンは、支援が得られた分だけ商品を販売する「完全無在庫・予約販売」が成立するので在庫リスクがありません。Amazonなどで無在庫転売、予約転売をすれば規制を受けますし、メルカリやラクマでは禁止されていますが、クラファン市場では大歓迎なのです。**アカウントが停止されるようなことはありません。**

⚠️ 多額の初期資金が必要ない

　完全無在庫・予約販売なので資金繰りに悩むことがほとんどありません。支援金を原資としてメーカーから商品を仕入れることができるので、多額の初期資金が必要ありません。

　初期資金がまったく必要ない場合もありますし、商品生産前に一部だけ仕入代金を前払いするケースもあります。これは、商品の在庫の有無やメーカーのスタンスによって変わってきます。せどり、転売のように仕入代金を全額前払いすることがないため、資金不足で泣く泣く仕入れを諦めるようなケースは少なくなります。**初期資金に不安がある方でも安心して始められる物販ビジネス**といえます。

⚠️ 独占契約だからライバル不在、価格競争なし

　プロジェクト中にほかの販路で商品流通がないように、クラファンで新商品を販売するには独占契約を結ぶ必要があります。メーカーと独占契約を結ぶので、基本的に販売者は自分だけです。**自分で決めた価格で、自分だけが販売することができます。**これはクラファンプロジェクト終了後の一般販売についても同様です。たとえばAmazonや楽天で販売するにしても、独占販売なので

相乗り出品による価格競争に巻き込まれることがありません。Amazonや楽天を介さずに、自社ECサイトを作って直接消費者に商品を販売することも可能です（これは「D2C」といいます）。

　もっとも、独占契約はずっと続くとは限らず、プロジェクトの結果やメーカーとの関係性で契約が切られる可能性もあります。ただ、途中で切られることはあっても、実践を重ねることで、トータルで独占契約できるメーカーは増えていきます。また、独占契約を切られる可能性があるということは、逆にいえば独占契約を奪える可能性もあるということです。独占契約が切られたとしても、めげずに次のメーカーにアプローチしていきましょう。

⚠ 支援者都合のキャンセル、返金がない

　先ほどもお伝えしたように、**クラファンサイトのルールでは支援者都合のキャンセル、返金は認められません。**ただし、起案者側の都合で発送遅延や不良品が発生した場合は返金対応も含めて対応しなければいけません。本書では、極力リターン商品配送時のトラブルを防止する秘訣や、トラブルが起きても対処できる方法をお伝えします。

⚠ 利益率を高く設定できる（30 〜 40%）

　せどり、転売は仕入価格を交渉することはできませんし、販売価格も利用するプラットフォームの価格に合わせないといけません。特にライバルセラーが価格を下げた際は自分も下げないといけないのが苦しいところです。

　しかし、メーカー仕入れとクラファンの組み合わせであれば、メーカーと仕入価格を交渉できますし、販売価格も自分で決められます。そのため、利益率を高く設定することができます。もちろん、**極端に販売価格を高く設定しても支援が得られませんが、30 〜 40%くらいの利益率なら可能**です。Amazon販売では、せいぜい利益率は高くても15 〜 20%程度です。しかもコピー品に近い簡易OEM商品ではなくて、高品質のメーカー商品で30 〜 40%です。独占契約でないと、このような利益率を出すことはできません。

⚠ クラファン終了後に 一般販売で継続的な収入が得られる

　クラファン終了後、クラファン以外の市場でも売れそうなら一般販売を行います。具体的にはAmazonや楽天などを活用することもあれば、「BASE」や

「Shopify」などで簡単にネットショップを開設し、自社で直接販売することもあります。

　クラファン1回で何百万円単位の利益を得たあとに、一般販売で継続的な安定収入も得ることが望めます。**必ずしも一般販売でも売れるとは限りませんが、独占販売の権利を得た商品をさまざまな販路で展開できるのは物販クラファンならではの魅力**です。

ⓘ 大型のB2B案件（企業間取引）につながることもある

　クラウドファンディングは、ネット上の展示会といわれています。そのため、プロジェクト中に大手百貨店への卸ビジネスに展開することも珍しくありません。また、私たちのほうから百貨店などの企業に営業して取引が成立することもあります（⇒P.267）。

　B2Bの卸ビジネスにつながると、1回で売上1,000万円の取引は普通にあります（クラファンでもあり得ますが）。しかも商品を開発するのはメーカーなので、新たに商品をリサーチする必要はありません。また、卸ビジネスは消費者に直接販売するわけではないので作業量が非常に小さいです。**メルカリで1個商品を売る場合と同じくらいの手間で、有名百貨店に1万個卸すことが可能**です。これもメーカーと独占契約していないと実現できない話です。クラファンで稼ぐだけでなく、その後の展開も視野に入れて取り組むことで夢が広がります。

ⓘ すべて自宅で完結する

　以前は、クラウドファンディングで起案するために海外メーカーと独占契約するには海外展示会に参加してメーカーと直接交渉するのが主流でした。この方法では海外までのチケット代やホテル代、短くても3泊4日の拘束時間などデメリットが色濃くなります。少なくとも副業で取り組めるノウハウではありません。

　しかし、現在はコロナ禍の影響もあり、オンラインで完結する方法が主流なので何も問題ありません。**メールでの交渉はもちろん、対面の場合もZoomなどオンライン通話を使います。**

　以前は完全オンラインでクラファン交渉する人がいなかったので、私も失敗が多くトライ＆エラーを繰り返してきました。本書では、メーカー交渉の成功と失敗のデータを蓄積した再現性の高いノウハウをお伝えしていきます。

ⓘ 英語ができなくてもOK

　本書では海外メーカー仕入れ&クラファンのノウハウをお伝えします。海外メーカーというと、必ず「英語ができないけど大丈夫?」という質問がありますが、まったく問題ありません。

　自宅で完結でき、わざわざ渡航するわけではないので英語力は必要ありません。**英語と接する機会はありますが、「Google翻訳」や「DeepL翻訳」などの翻訳サイトを使うか、もしくは翻訳や通訳を外注するだけ**です。しかも翻訳や通訳も、「ランサーズ」などクラウドソーシングを使えば安価に外注できます。本書では外注のコツも詳しくお伝えします。

ⓘ 起案者、メーカー、支援者が喜ぶ Win-Win-Winのビジネス

　先行予約販売ができるクラウドファンディングの仕組みは、起案者のみならずメーカーにも大きなメリットがあります。なぜなら、**在庫リスクなく需要を見極めることができるので、テストマーケティング手段としても最適だからです。しかも、生産する前に商品をPRできる点も大きい**です。

　また、「こんなのがほしかった」と、今まで日本になかった魅力的な新商品を手にできるので支援者にも喜んでもらえます。物販クラファンは起案者、メーカー、支援者も喜ぶWin-Win-Winのビジネスといえます。

ⓘ 好奇心を刺激する商品の販売に関われる

　クラウドファンディングで扱う商品は、今まで日本市場になかった画期的な新しい商品です。「おもしろいアイデアだ!」「こんなのがあったら嬉しいな」「その手があったか!」と思わせるような商品です。流行に敏感で新しいモノ好きな人の好奇心をくすぐる商品をリサーチして、独占販売していきます。既製品を販売するこれまでの物販と違って、新商品を世に広めていくおもしろさを味わえます。

ⓘ 社会的信用が高い

　物販クラファンは起案者、メーカー、支援者が喜ぶWin-Win-Winですから、非常に社会的信用の高いビジネスです。これまでの転売ビジネスのように「家

族や友人にも話せない」と後ろめたい気持ちになることがありません。むしろ、**堂々と家族や友人に自分のプロジェクトを自慢するくらいです。**

　しかも、クラファンをきっかけに商品が注目され、新商品が大手実店舗に並ぶこともあります。自分が見つけた商品が世のなかに広まっていくのを目の当たりにするのは感慨深いものがあるでしょう。

ⓘ ビジネスで必須の
交渉力と販売力が手に入る

　ここまで読むと、物販クラウドファンディングは物販のよいところだけを拾い、悪いところをなくしたメリットだらけの手法であることがわかると思います。**いくつもメリットがあるなかで一番大きいのは、今後自分の力で生きていくために必須のノウハウが手に入る点だと思っています。**

　せどり、転売の場合は、誰でもできるリサーチをこなすだけです。これで永遠に稼げればいいのですが、ほかのビジネスに応用できるノウハウではないので稼げなくなれば終わりです。また別の儲かるビジネスを探さないといけません。

　一方、本書でお伝えする物販クラファンは、メーカーとの交渉や商品ページの作成など転売ビジネスにはないノウハウが必要です。そのため少し大変と思われるかもしれませんが、物販クラファンを実践することでメーカーとの交渉力や商品の販売力が身につきます。この2つのノウハウが手に入るのはかなり大きいです。なぜなら、ほかのビジネスにも絶対に必要とされる一生モノのビジネススキルになり得るからです。

　メーカーが一緒にビジネスをしたいと思う人を考えてみてください。お互いのメリットになるように最善の手段を考えてくれて、しかも自社商品の販売をサポートしてくれる人ではないでしょうか？　交渉力と販売力を習得すればメーカーから求められる存在になれるので、仮にクラファンが衰退したとしても自分の力で食べていけるでしょう。

15 物販×クラファン
3つのデメリット

　ここまで物販クラファンのメリットをお伝えしましたが、一方でまったくデメリットがないわけではありません。メリットだけでなくデメリットも把握することで冷静に取り組むことができます。

(!) 作業タスクが多い

　物販クラファンのデメリットとして挙げられるのが、作業タスクが多いことです。転売ビジネスの場合は、「商品を安く仕入れて高く売る」という非常にシンプルな作業を繰り返すだけです。

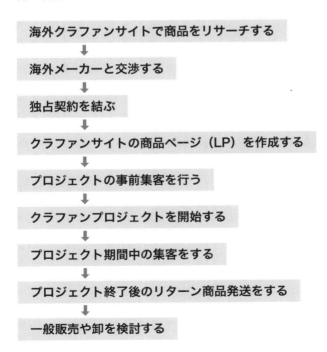

価格差のある商品をリサーチする
↓
リサーチした商品を仕入れる
↓
出品する（Amazon、メルカリなど）
↓
注文があったら商品を発送する

一方で物販クラファンの作業タスクは以下のようにかなり多いです。

海外クラファンサイトで商品をリサーチする
↓
海外メーカーと交渉する
↓
独占契約を結ぶ
↓
クラファンサイトの商品ページ（LP）を作成する
↓
プロジェクトの事前集客を行う
↓
クラファンプロジェクトを開始する
↓
プロジェクト期間中の集客をする
↓
プロジェクト終了後のリターン商品発送をする
↓
一般販売や卸を検討する

その分、成功すれば１回のプロジェクトの売上が数百万〜数千万円程度と規模が大きくなります。反面、単純作業を繰り返すせどり、転売と比べるとやるべきことが多く、１つの商品を販売するまでに時間がかかります。

　とはいえ、大変なのは１回目だけで、２回目以降は１回目と同じ流れを繰り返すことになり、作業効率が格段にアップしますのでご安心ください。また、作業効率がアップするだけでなく、プロジェクトが成功するコツもつかめてきます。最初は100 〜 300万円くらいの支援額を目指していたのが1,000万円程度を狙っていくことも可能になります。

⚠ 売上金（支援金）が入金されるまで時間がかかる

　作業タスクの多い物販クラファンでは、その分売上金（支援金）が入金されるまで時間がかかります。転売ビジネスやメーカー仕入れは、かなり在庫の回転が早く、早い人であれば１カ月で数十万円の月利を達成する人もいます。物販クラファンでは、プロジェクト期間がだいたい１〜２カ月、プロジェクトの準備期間も含めれば３〜４カ月くらいは見ておく必要があります。

⚠ 既存の物販ビジネスにはないノウハウが必要

　先ほどの作業タスクを見てわかるように、物販クラファンは既存の物販ビジネスにないノウハウが必要となります。メーカー仕入れを経験したことがない方は、「今までと全然違う」と思うかもしれません。

　物販クラファンは、海外メーカーと独占契約する交渉力、商品を支援者に広めて魅力を十分に伝える販売力が求められます。そのため、商品ページの作成など最初は難しいと感じることがあるかもしれません。メーカーとの交渉もはじめのうちは断られることが多いでしょう。しかし、**メーカー交渉や商品ページ作成、事前集客などのプロモーション戦略にはいくつか型があります。**本書では、結果が出せる方法を体系だててお伝えしていきます。

　また、見方を変えれば、ビジネスオーナーとして自立するためのノウハウを習得できる絶好の機会ともいえます。物販クラファンでお金を稼ぎながら長期的にビジネスを持続できるスキルを育てていきましょう。

1 6 最新の物販×クラファンの 注意点と打開策

　ここ最近の物販クラファン事情について簡単にお伝えします。物販を含む購入型クラファンは急速に支援額を増やし、業界最大手のMakuakeも右肩上がりで会員数を増やしています（⇒P.40）。

　これはクラファンのプロジェクトの起案者が増えてきたことも意味します。また、トラブルを防ぐためにプラットフォーム側の審査も厳しくなっています。2019年ごろまでは「とりあえずプロジェクトを出せば売れる」状態でしたが、起案者の増加によりプロジェクトが埋もれやすくなり、現在は「とりあえずプロジェクトを出せば売れる」ようなことはなくなりつつあります。

⚠ 機能や素材に新しさが認められれば審査は通る

　まず、プラットフォーム側の審査が厳しくなっている点ですが、客観的に見て新しさがない新商品は審査に通らなくなっています。特に業界最大手のMakuakeは、以下のように他社製造製品における不適切な流通を認めないことを明記しています。

> ▶ 海外商品において日本市場独占契約を締結せず、日本市場での流通を実施すること
> ▶ 商品を製造委託する場合において、実行者が創出をした「アタラシイ」が認められない商品でプロジェクトを実施すること

　前者の独占契約については先にお伝えしたとおりですが、問題なのは後者のほうです。「『アタラシイ』が認められない商品」とは、ほかの類似商品と機能や素材、デザインの観点で違いが感じられない商品です。

　具体例としては、現在流行している**中国輸入の簡易OEM商品**です。過去には、中国の「アリエクスプレス」「タオバオ」「アリババ」で安価に売られている商品とほとんど変わらない商品が出品されるケースもありました。また、検査などのエビデンスが怪しい商品が出品されることもありました。このような商品は炎上など問題事例となることがあり、クラファンサイトは規制を強化しています。また、新しいモノ好きのクラファンの支援者層に、ほかのECサイトで普通に売られていそうな商品が売れるとも考えられません。

逆に機能や素材面で新しさがあれば審査に通りますし、実際に売れます。本書では、他社にはないアイデアで作られた新商品で、かつ日本で売れそうな商品をリサーチする方法をお伝えします。

⚠ 売れる戦略を考えているライバルは少ない

次に「ただ起案するだけでは売れなくなっている」ことですが、これはそこまで悲観しなくて大丈夫です。起案者も増えていますが会員数も増えているため、ターゲット層を想定して販売戦略を立てたプロジェクトは以前よりも売れている実態があります。

Makuakeのプロジェクトを見ても「初日から売れているプロジェクト」と「全然売れていないプロジェクト」にはっきりと分かれています。つまり、成功と失敗で二極化しているのですが、売れる戦略をおざなりにしている起案者が少なくないため、失敗しているプロジェクトが多いです。このような起案者はライバルとはいえません。**「会員数は増えているがライバルは弱い」というのが今のクラウドファンディング**です。本書でお伝えするノウハウを実践すれば大きな支援が得られますので、しっかりと取り組んでいきましょう。

▌1▐▌7▐ 物販×クラファンに向いている人とは?

物販クラファンの概要についてお伝えしてきました。ここまでの内容を踏まえて物販クラファンに向いている人について説明します。

⚠ いずれ会社を辞めて独立したい人

物販クラファンは、せどり、転売と比べるとタスクが多く、利益が出るまでにタイムラグが発生します。そのため、今すぐ手元にお金がほしいとか、すぐに成果を出したい方にはあまり向いていません。その場合は、せどり、転売に取り組んだほうがいいかもしれません。以前よりかなり難しくなりましたが、今でも月利5～20万円くらいなら可能です。ただ、今後も稼ぎ続けられるかどうかはわかりません。会社を辞めて独立するなら、自力で食べていける力を身につける必要があります。物販クラファンは、交渉力や販売力など一生食べていくための基礎となるノウハウを身につけることができます。

⚠ 魅力的な新商品を見つけて販売することが楽しい人

物販クラファンのタスクは、簡単にいえば日本市場にない海外の新商品を発掘して国内に広めていくことです。単純作業ではない思考力が問われることがありますが、考えることを含めて楽しいと感じることができる方は物販クラファンに向いています。特に新商品のマーケティングや宣伝に興味のある方であれば物販クラファンはぴったりでしょう。

⚠ インプットだけでなく積極的に実践する人

物販クラファンは作業タスクが多いので、「どんな手段でもいいから儲けたい」「楽に稼ぎたい」という人はあまり向いていません。メリットの多い手法ですが、物販クラファンは楽に稼げるわけではないのです。

時に脳みそに汗をかくくらい考えて実践できる人が成功します。物販クラファンは成功の型はありますが、メーカー交渉や商品ページの作成、事前集客は自分でやってみないとわからないところがあります。学んだことをそのままにせず、まずは実践してみてPDCAを回すことで実力がついていきます。**クラウドファンディングは起案者のリスクを抑えた方法で、失敗しても失うものはありません。積極的に実践しましょう。**

`1` `8` 物販×クラファンで押さえておくべき 4つの主要クラファンサイト

Chapter 1の最後に、物販クラファンでよく利用するクラファンサイトについて紹介します。今では国内でも星の数ほどあるクラファンサイトですが、物販クラファンと相性抜群なのが「Makuake」と「GREEN FUNDING」です。あとは「クラファンおかわり」（同一商品のプロジェクトを2回起案すること。⇒P.262）をするのであれば「CAMPFIRE」と「machi-ya」も押さえておきたいところです。最初は、この4つを知っていれば問題ありません。

⚠ Makuake

Makuakeは国内最大手のクラファンサービスで、2019年に東証マザーズ

に上場しました（**図1-5**、**図1-7**）。キュレーターと呼ばれるプロジェクト専任担当が1名ついてプロジェクト全般をサポートしてくれるので、はじめてプロジェクトを実施する方も安心です。サイバーエージェントグループの会社のため、アメブロやABEMAなど各種メディアでプロジェクトを拡散してくれることがあります。

図1-5　Makuake

　2022年7月時点で219万人と、非常に会員数の多いクラファンサイトで多くの支援が期待できます（**図1-6**）。

図1-6　Makuake 会員数の推移

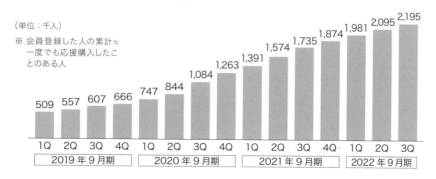

（単位：千人）
※ 会員登録した人の累計≒
　一度でも応援購入したことのある人

509　557　607　666　747　844　1,084　1,263　1,391　1,574　1,735　1,874　1,981　2,095　2,195

1Q　2Q　3Q　4Q　1Q　2Q　3Q　4Q　1Q　2Q　3Q　4Q　1Q　2Q　3Q
2019年9月期　　2020年9月期　　2021年9月期　　2022年9月期

出典：株式会社マクアケ　2022年9月期 第3四半期　決算説明資料
https://ssl4.eir-parts.net/doc/4479/tdnet/2159950/00.pdf

　しかも物販系のプロジェクトに強く、キュレーターのサポートも手厚いので、特に物販クラファンがはじめての方はMakuakeをおすすめします。

　ただし、国内最大手ということもあり、出品アカウントの申請や商品ページの審査が比較的厳しく時間がかかることがあります。この場合は後述するGREEN FUNDINGでのプロジェクト立ち上げを検討するといいでしょう。

図 1-7　Makuake の概要

運営会社		株式会社マクアケ
サービス開始		2013年
利用手数料		20%

ⓘ GREEN FUNDING

　GREEN FUNDINGは、CCC（TSUTAYA）グループが運営するクラファンサイトです（**図1-8**、**図1-9**）。

図 1-8　GREEN FUNDING

　蔦屋家電などの実店舗連携に強みを持っていて、プロジェクト成功率は80%を超えています。プロジェクトを起案すると多数の連携Webメディアに掲載されるため集客効果が高いです。クラファンプロジェクトでヒットした商品は蔦屋家電などの店頭に並ぶこともあります。

　Makuakeには劣るものの会員数は多いです（実数は公開されていません）。Makuake同様、物販系のプロジェクトが多く、比較的男性向けの商品が多い印象です。

2020年4月より、プロジェクトを起案できるのは法人のみで、個人事業主の方の起案はできなくなりました。個人的には、この機会に法人設立を検討してもいいのでは、と思います。法人設立は7万円くらいあれば簡単にできます。

図 1-9　GREEN FUNDING の概要

運営会社	株式会社ワンモア
サービス開始	2011年
利用手数料	20%（※）

※ リピートや紹介で手数料が割引になることがある

⚠ CAMPFIRE

　paperboy&co.（現GMOペパボ）を創業して、最年少でジャスダック上場を果たした家入一真さんが代表を務めるクラファンサービスです（**図1-10**、**図1-11**）。CAMPFIRE も Makuake 同様に知名度が高く、会員数は 2022 年時点で約 330 万人と国内最大規模です。しかし、どちらかというとイベント系に強く、物販系のプロジェクトは支援が集まりにくい傾向があります。

図 1-10　CAMPFIRE

　物販クラファンでは、今のところクラファンおかわりで活用する方が大半です。とりあえず最初はMakuakeやGREEN FUNDINGを利用することで問題ないでしょう。

図1-11　CAMPFIREの概要

運営会社	株式会社CAMPFIRE
サービス開始	2011年
利用手数料	17%（※）

※ キャンペーン等で手数料が割引になることがある

(!) machi-ya

　株式会社CAMPFIREは、CAMPFIREだけではなく7つのクラファンサービスを運営しています。そのなかの1つがデジタル家電、小物などのガジェット関連を主に扱うmachi-yaです（**図1-12**、**図1-13**）。machi-yaもCAMPFIRE同様にクラファンおかわりとの相性がいいクラファンサイトです。

図1-12　machi-ya

　メリットは、「GIZMODO JAPAN」「lifehacker」「ROOMIE」「BUSINESS INSIDER JAPAN」「MYLOHAS」といった月間数百万PV規模の集客力の高いWebメディアに掲載されることです。

一方で、手数料が25％と本家のCAMPFIREよりも高めである点と、審査が厳しい傾向があります。とはいえ、メディア掲載で支援を伸ばせる点は大きいので、ガジェット関連のクラファンおかわりでは検討してもいいでしょう。

図 1-13　machi-ya の概要

運営会社	株式会社CAMPFIRE
サービス開始	2016年 （CAMPFIREによる運営は2019年から）
利用手数料	25％

物販×クラファンを
始める前の準備

物販×クラファンを始める前の準備

物販クラウドファンディングに取り組む前に、最低限用意しておきたいことをお伝えします。必要なものは通常の物販ビジネスとほぼ変わりませんが、メーカー交渉用の独自ドメインのメールアドレスやホームページが必要になります。どちらもお金をかけずにすぐに用意できるので、サクサク作って次に進みましょう。

2 1　必要なものは銀行口座、クレカ、PCだけ

　物販クラファンを始めるにあたって最初から用意しておいたほうがよいものに特別なものはありません。**とりあえず用意しておかなければいけないのは銀行口座、クレジットカード、PCだけ**です。物販初心者でもすでに持っている方がほとんどでしょう。物販クラファンは、個人事業主でも副業でもハンデなく始められるので最初から法人口座を開く必要はありません。

(!) 専用の銀行口座があると便利

　銀行口座が1つだけでもビジネスはできますが、物販ビジネス専用の銀行口座を別に作ると便利です。会社から振り込まれる給料やプライベートな出金と一緒の銀行口座にすると、管理が煩雑になりがちです。銀行口座が1つだけの方は専用の銀行口座を持つことを検討しましょう。

　今から口座を開設するのなら、おすすめは海外送金（⇒P.254）で手数料が安くて便利な**「楽天銀行」**や**「住信SBIネット銀行」**です。

(!) クレジットカードは限度額を広げる必要はなし

　クレジットカードについては最低1枚準備しておくくらいで、利用限度額も50～100万円くらいあれば無理に広げる必要はありません。転売ビジネスやメーカー仕入れ経験者のなかには商品を大量に仕入れるために利用限度額を広

げていた方もいるでしょう。しかし、物販クラファンの場合は、支援金を原資として海外送金するのでクレジットカードを利用する機会は多くありません。せいぜいサンプル品が有償だった場合や広告費の支払いくらいです。そのため通常の限度額の範囲内で問題ありません。

(!) 高性能のPCでなくても十分

　WindowsでもMacでもかまわないのですがPCは欠かせません。とはいえ、物販クラファンは、ほかの物販のようにGoogle Chromeの拡張機能などさまざまなツールを同時に立ち上げてリサーチすることはしません。あまり古いPCであれば買い替えたほうがいいですが、CPUはCore i5以上、メモリは8GB以上、ストレージはSSDであれば問題なく、あとは好みの問題です。

　ツールを多く使うわけではないのでPCに苦手意識がある人でも物販クラファンは問題なく取り組むことができます。クラファンの商品ページも、PCが苦手な人でもサクサクと作成できるようにクラファンサイト側で設計されています。PCが得意でなくても取り組める点も、物販クラファンのメリットの1つといえるでしょう。

2 2 メールアドレスは 独自ドメインで開設する

　メーカー仕入れを経験している方の多くは用意していると思いますが、メーカー交渉用のメールアドレスは独自ドメインで開設しましょう。もちろん、GmailやYahoo!メールなどのフリーメールでも交渉メールは送ることができますが、信頼度の点で不利になります。**同じメール内容であってもフリーメールの場合は成約率が大きく下がります。**また、メーカー交渉用のメールアドレスを用意して、ほかと分けて使うと管理がしやすいメリットもあります。

　独自ドメインとは、「info@○○.com」「sale@○○.co.jp」といった、オリジナルのドメイン名で作られたメールアドレスです。○○は「narita」など自分の名前や会社名などのオリジナルの表記です。独自ドメインのメールアドレスにはさまざまな種類がありますが、**一般的なお問い合わせ窓口に使われるinfoメール（info@○○.comのタイプ）で十分**です。ドメイン名はどれでも問題ないですが、「.com」「.net」「.jp」など主要なドメインのほうがメーカーに違和感を与えないのでおすすめです。

独自ドメインのメールアドレスを取得する方法は主に2つあります。どちらの方法でもいいので、独自ドメインのメールアドレスがない方はすぐに作ってください。

⚠️ 独自ドメイン取得サービスを利用する

もっとも一般的な方法は、**「お名前.com」**や**「ムームードメイン」**などの独自ドメイン取得サービスを利用する方法です。ドメインによって若干差がありますが、.comや.netは取得費用が年間1,000～1,500円程度と安価です。

後述するホームページをWordPressで作成している方は、お使いのサーバーのサービスで独自ドメインのメールアドレスを取得してもいいでしょう。

⚠️ Google Workspaceを利用する

2つ目は、**「Google Workspace」**を使った方法です（**図2-1**）。取得した独自ドメインのメールアドレスを簡単にGmailと連携させることができます。Gmailを使い慣れた方であれば使い勝手がいいですが、月額748円（税込で年間8,976円）と、少し高くなります。

図2-1　Google Workspace

なお、お名前.comやムームードメインなどで取得したメールアドレスをGmailに転送する方法もあります。Google Workspaceを使った方法より少し設定がややこしいですが、安価で済みます。

2 3 簡易コーポレートサイトを 用意する

メーカー交渉用に事業用ホームページ（コーポレートサイト）を作成しましょう。事業用ホームページといっても法人でないといけないわけではなく、もちろん個人事業主でも制作可能です。

ホームページも信頼度アップが目的で、あるかないかで成約率が大きく変わります。 また、クラファン後に国内大手企業にPRして卸ビジネスに発展することもあります。ただし、「Web上の名刺」として利用する事業用ホームページは高額な制作費を支払って凝ったものにする必要はありません。安価に外注するなどしてサクッと作ってしまいましょう。

(!) 2～5万円程度の簡単なホームページで十分

ホームページはメーカーに必ずチェックされますが、「あなたがどんなビジネスをしているのか」がわかればいいので高いクオリティは不要です。コンテンツを充実させる必要もなければ、SEO対策や凝ったデザインも必要ありません。そのため**安価に制作することが可能で、WordPressで作る場合でも2～5万円程度で済みます。**

(!) 日本語ホームページでOK

「国内メーカーならともかく、海外メーカー仕入れなら英語のホームページが必要では？」

と思った方もいるかもしれません。多言語対応のホームページを作ることもできますが、海外メーカーの担当者はGoogle Chromeの翻訳ツール機能（⇒P.57）などを使って閲覧します。日本でビジネスをしていることが伝わればいいので、無理に多言語対応にする必要はありません。

(!) 事業用ホームページに記載する情報

事業用ホームページには次のような情報を記載しましょう。あまり悩まずに、会社概要をわかりやすく記載しておけば大丈夫です。ただ、海外メーカー交渉だけでなくクラファン後の卸ビジネスを意識するのであれば多少作り込ん

Chap.
2

でもいいでしょう。ある程度実績を重ねてきたら適宜追記・修正したり、ホームページをリニューアルしたりしてください。

■ 会社名もしくは屋号

　法人化している方は会社名、個人事業主の方は屋号がわかるようにしてください。副業を開始したばかりの方は屋号がまだ決まらずに考えているかもしれませんが、会社名や屋号でメーカーが取引を決めるということはありません。そのため、**よほど不快感を与えるようなネーミングでなければ問題ありません**。強いていえば、ご自分がビジネスで長期的に使っていくものなので愛着がわくネーミングをおすすめします。

　なお、個人事業主なのに法人と偽ってInc.やLtd.などと表記することはやめましょう。取引を重ねていくうちに、いずれメーカーにバレます。個人事業主でもハンデはほとんどないので正直に記載してください。

■ 設立年月日

　法人の方は会社を設立した日付、個人事業主の方は開業届を出した日付を記載します。

■ 事業内容

「クラウドファンディングやECサイトを通じたオンライン販促サポート」など、事業内容を簡単に記載します。必ずしも取引したことのある商品を掲載する必要はないので、初心者の方も臆することはありません。ただし、「初心者ですが全力で貴社をサポートします」「これから頑張ります」などの記載は頼りない印象を与えるので逆効果です。初心者マインドは捨てて取り組みましょう。

　物販経験者の方はAmazonや楽天での販売実績を書いてもいいでしょう。ただし、「不用品販売の経験を積んできた」など転売ビジネスをにおわす表現は、かえって印象を悪くするのでNGです。物販未経験の方は「今後はアイデアに優れた海外の魅力的な商品を日本市場に広める」など、今後の展望を記載するといいでしょう。実績が出たあとは、**図2-2**のように各プロジェクトの最終的な支援金額がわかるように追記してください。

図 2-2　手がけたプロジェクトの実績を紹介する

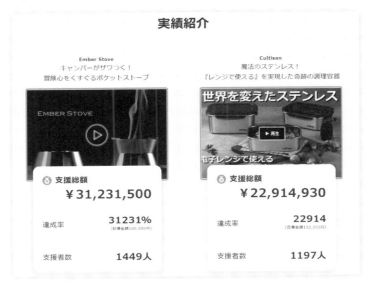

■ 事業理念

　ホームページのトップページに「〇〇を通じて〇〇を実現する」など、ビジネスの理念を記載しておきましょう。クラファン後に大型の卸ビジネスに発展する場合、卸先の企業にPRしやすくなります。ただ、海外メーカーとの交渉に大きく影響するものではないので、初心者の方は無理に記載する必要はありません。経験を重ねていくうちに自分の想いを伝えたくなったら追記してください。

■ 代表者氏名、所在地

　ご自分の氏名と所在地を記載します。個人事業主で自宅兼事務所となっている方は自宅の住所を記載すれば大丈夫です。バーチャルオフィスでもかまいません。

■ 電話、FAXは不要

　国内メーカーとの取引では電話番号は必須ですが、海外メーカー仕入れでは不要です。海外メーカーからいきなり電話が来るようなことはまずありませんし、FAXも使いません。商談の際はZoomなどオンライン通話を使って通訳と一緒に参加します（⇒P.121）。

　先ほどお伝えした独自ドメインのメールアドレスを記載します。お問い合わせフォームは、受信先を同じメールアドレスに設定します。

⚠ 主な無料ホームページ作成サービス

　外注費用を抑えてご自分でホームページを用意するのであれば、**「Wix」**「**Ameba Ownd」「Jimdo」** などの無料ホームページサービスを使うと簡単に作成できます。ただし、独自ドメインのURLを取得せずに無料サービスで構築すると、ホームページに広告が出てきてしまいます。余計な広告が出てくるとメーカーの心証がよくないので、独自ドメインを連携させることをおすすめします。

　もっとも、独自ドメインを連携させると月1,000 〜 2,000円程度の費用がかかります。そうなると**WordPressのホームページ制作を安価に外注するのとあまり変わらなくなるので、結論としては、ホームページはWordPressで制作することがおすすめ**です。

⚠ 時間とお金をかけずにWordPressで制作

　基本はWordPressで作成することをおすすめしますが、制作には多少知識が必要です。アフィリエイト経験者など知識がある方は数時間もあれば自分で作れますが、そうでない方は難しいと思います。

　ホームページは「絶対必要だが時間をかけるものではない」くらいのものです。会社概要を掲載するくらいなら2 〜 5万円で外注できるので、ホームページに悩む時間をメーカーとの交渉に充てましょう。「ランサーズ」「クラウドワークス」などにアクセスすればWebデザイナーが大勢見つかります。

　なお、独自ドメインはメールアドレス同様にお名前.comやムームードメイン、レンタルサーバーは「エックスサーバー」や「ロリポップ！」をおすすめします。ただ、具体的にどれを選ぶかは外注先の専門家に任せてもいいでしょう。

2 4 はじめて物販クラファンに取り組むときの3つの心構え

独自ドメインのメールアドレスとホームページについては費用も手間もかからないので、すぐに作りましょう。用意できたら物販クラファンの実践となりますが、その前にはじめて物販クラファンに取り組むときの心構えをお伝えします。

ⓘ 副業は99%会社にバレない

以前に比べると解禁されてきたとはいえ、今でも副業禁止としている会社は多いので「副業がバレないか」を気にする方は多いです。ホームページの代表者や所在地の記載、クラファン商品ページの起案者紹介などが会社に見つかるのではないかと心配になる方もいるでしょう。

しかし、そもそも副業がバレるのは99%タレコミやチクリによるものです。たとえばご自分で同僚に副業の話をしたり、急にお金遣いが荒くなったりして同僚が会社に報告するような場合です。逆にいえば、**会社では副業の話や怪しまれるような行動をしなければ99%バレない**ということです。わざわざあなたの名前を検索してホームページやクラファンの商品ページをチェックする人はいません。大々的にプロジェクトがメディアで紹介されたとしても、「代表〇〇さん」と名前が取り上げられない限りは大丈夫です。少なくとも私のまわりでは、副業が会社にバレたという人は聞いたことがありません。どうしても気になるのであれば次の対策をしておけば100%大丈夫ですが、しなくてもほとんど問題ありません。会社の同僚に話さないことだけ徹底して堂々と取り組んでいきましょう。

▶ホームページの代表者氏名をローマ字にする
▶バーチャルオフィスを借りて、そこをホームページ掲載の所在地とする
▶会社の年末調整でバレないように住民税の支払方法を特別徴収から普通徴収に変更する（会社で天引きから自分で納付に変更する）

ⓘ 個人事業主でも法人でも差はない

メーカーと交渉する際、「法人でないと相手にされない」と考える方が多い

のですが、**まったくそんなことはありません。**メーカーにとっては個人事業主だろうが法人だろうが関係なく、自社にとってメリットのある人を取引先に選びます。特に海外メーカーの担当者で個人・法人を気にする人はほとんどいません。

　すでに物販クラファンに取り組んでいる方は、会社員で副業している方や個人事業主も多いです。法人化するのは利益が出るようになってからでもいいので、個人事業主でも臆することなく取り組んでいきましょう。

⚠ 「初心者だから」は禁句

　副業の方に多いのですが、「まだ初心者だから……」と口にする人がいます。**これから物販クラファンに取り組む方は、「初心者だから」発言は禁止でお願いします。**まだプロジェクトを起案したことがなくても禁止です。

　理由は2つあります。1つはメーカーとの交渉で「初心者だから……」ということを言葉や態度で示してしまうと印象を悪くします。たとえばプロ野球の投手が試合で負けて、「ルーキーピッチャーだから打たれてしまいました」なんて口にしたら二度とベンチ入りできません。「初心者だから」発言も一緒で、メーカーは「頼りない」「失敗しそう」と敬遠するので成約率が下がります。

　もう1つの理由は、「初心者だから」と逃げ道を作ってしまうことです。先のプロ野球選手の例では、「ルーキーなら打たれていい」と勝手に暗示をかけて逃げてしまっているのです。「初心者だから」発言も「初心者だから成功しなくていい」と勝手に暗示をかけているのです。そのため、成果が出なくても「まあ仕方ない」と次に活かそうとしません。

　過去に、メーカー交渉がはじめてなのに3日で取引が成立した人もいます。初回のクラファンプロジェクトで1,000万円超の支援を得た人もいます。彼らからは「初心者だから……」という発言は聞いたことがありません。逆に開始1年半経っても全然稼げない方もいます。そして1年半経った今でも、「まだ初心者だから……」と弱気の発言をします。

　要は**「プロ意識を持ちましょう！」**ということです。私が物販のコンサルティングを始めたときは、「自分にできるのか……」とすごく緊張しても「まだコンサルタント初心者だから……」と考えたことはありませんでした。相手は初心者だろうと経験者だろうと関係なく、私をその道のプロとして見るからです。物販クラファンでも一緒で、メーカーにとってもお客様にとっても、あなたはプロとして見られます。「自分は初心者だからまだできない」という意識は今すぐ捨てましょう。

日本で大ヒットする
海外商品を
見つけるポイント

日本で大ヒットする
海外商品を見つけるポイント

いよいよ本章から物販クラファンの実践になります。日本のクラウドファンディングに
出品できる商品は、大きく分けると日本の新商品か日本未発売の海外商品である必要が
あります。本章では、物販クラファン初心者でも日本で売れる可能性の高い海外商品を
リサーチする方法をお伝えします。

3 1 物販クラファン向きの海外商品を
リサーチする方法

　物販クラファンの海外商品リサーチでは、基本的には海外クラファンサイト
などで、ヒット商品を生産している海外メーカーを探します。その後海外メー
カーと交渉して独占契約を獲得できたら、Makuakeなどの国内クラファンサ
イトに出品するという流れです。海外クラファンサイトで商品、メーカーを探
すのは以下の3つが理由です。

> ▶日本に代理店がないことが多い
> ▶新興メーカーが多く、比較的独占販売契約をとりやすい
> ▶商品ページ（LP）があり、写真や動画などの素材が準備済み

　特に利用頻度が高いのが、アメリカの大手クラファンサイトである「**Kick
starter**」と「**INDIEGOGO**」です。本書では主にKickstarterとINDIEGOGO
を中心に商品リサーチの方法を紹介します。どちらも他のクラファンサイトを
プロジェクト数で圧倒しており、この2サイトだけで幅広く商品リサーチできま
す。そのほかでは、魅力的なのに誰も目をつけていないような商品をリサーチ
するために台湾や韓国などのクラファンサイトでリサーチすることもあります。
　物販クラファンの商品リサーチは、Amazon物販のようにさまざまなツール
は使いません。どちらかというとネットを閲覧しながらおもしろい商品を探す
感覚に近いので、PCが苦手な方も安心して取り組んでください。Kickstarter

とINDIEGOGOの商品検索自体はすぐに慣れます。

⚠ Google Chromeでの海外Webサイト翻訳方法

海外クラファンサイトの紹介の前に、海外サイトの日本語翻訳の方法をお伝えします。輸入ビジネスを経験してきた方はご存じと思いますが、Google Chromeで海外のWebサイトを日本語表示する方法があります。主に使用するKickstarterとINDIEGOGOは英語サイトなので、英語に抵抗のある方は日本語表示にしましょう。多少不自然な日本語もありますが意味は通じるので問題ありません。

図 3-1　Google Chrome の海外サイト日本語表示手順（PC の場合）

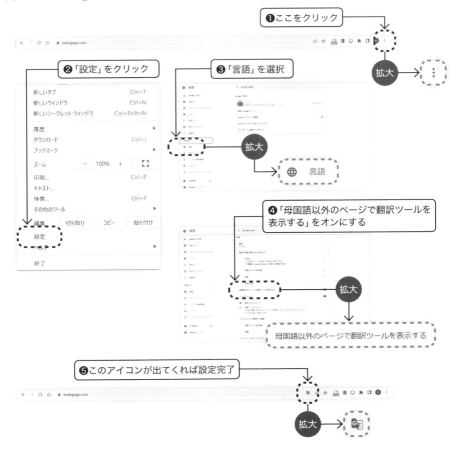

Google Chromeで海外サイトを日本語表示する手順は**図3-1**のとおりです。設定が完了すると**図3-2**のように英語と日本語の表示切り替えが可能になり、ご自分の使いやすい言語で海外サイトを閲覧できるようになります。

図 3-2　海外サイトの英語と日本語表示の切り替え

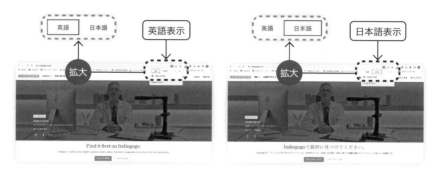

⚠ Kickstarterを使った商品リサーチ方法

Kickstarterは、クラウドファンディングという資金調達手段を一般的なものにした世界トップシェアのクラファンサイトです。多種多様なジャンルで、世界中のおもしろいアイデアにあふれたプロジェクトが掲載されています。

基本的なリサーチ手順を以下に示します。**図3-3**は検索窓を使った商品検索方法です。調べたい商品名やカテゴリーが明確な場合のほか、機能や素材面の特徴を表現した言葉（図3-21 ⇒P.80）で検索したい場合に活用します。

図 3-3　Kickstarter の商品リサーチ方法（検索窓）

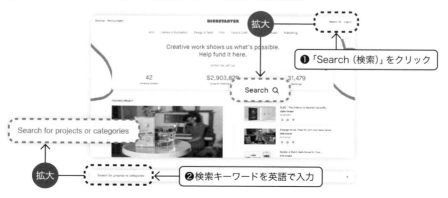

　図3-4のように、商品カテゴリーで検索する方法もよく使います。ある特定のカテゴリーで成功しているプロジェクトをチェックしたい場合に使用する方法です。たとえば「デザイン＆テクノロジー（Design & Tech）」を選択してリサーチする機会は比較的多いです。

図3-4　Kickstarterの商品リサーチ方法（カテゴリー選択）

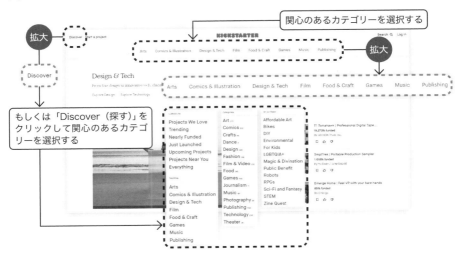

　図3-5は、図3-3 〜図3-4の次に出てくる商品検索画面です。さらに絞り込み検索をしたい場合や、並び順を変えたい場合は図3-5のように絞り込みます。**特にプロジェクトの進捗状況と達成金額を絞り込んでリサーチすることが多いので覚えておきましょう。**

　なお、KickstarterはGoogle Chromeで日本語表示にしなくても、サイト内で日本語設定することが可能です。**図3-6**のように画面を一番下までスクロールして、「日本語」を選択すればOKです。そうすることで各メニューの項目など一部が日本語表示されます。Google Chromeの日本語表示よりも正確ですが、クラファンの商品ページ（LP）については英語のままです。そのため、商品ページを検討したい場合はGoogle Chromeの機能を使うといいでしょう。

　また、図3-6の言語設定の横では達成金額や目標金額表示の通貨設定ができ、そのなかには日本円も含まれています。米ドルなど他国通貨から換算しなくても達成金額の目安を読み取ることができます。言語も通貨も、ご自分が使いやすい方法で設定してください。

図3-5　絞り込み検索や検索画面の並び替えをしたい場合

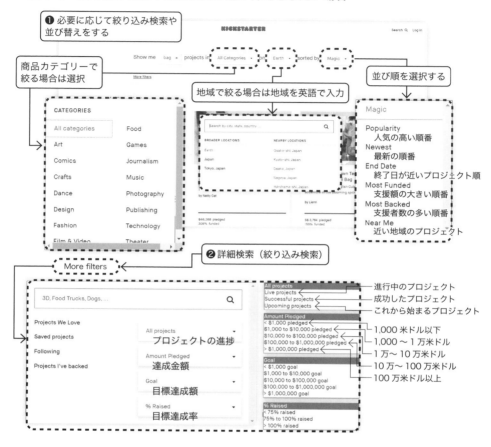

❶ 必要に応じて絞り込み検索や並び替えをする

商品カテゴリーで絞る場合は選択

地域で絞る場合は地域を英語で入力

並び順を選択する

Magic
- Popularity　人気の高い順番
- Newest　最新の順番
- End Date　終了日が近いプロジェクト順
- Most Funded　支援額の大きい順番
- Most Backed　支援者数の多い順番
- Near Me　近い地域のプロジェクト

CATEGORIES

All categories	Food
Art	Games
Comics	Journalism
Crafts	Music
Dance	Photography
Design	Publishing
Fashion	Technology
Film & Video	Theater

❷ 詳細検索（絞り込み検索）

More filters

- All projects　進行中のプロジェクト
- Live projects　成功したプロジェクト
- Successful projects
- Upcoming projects　これから始まるプロジェクト

Amount Pledged
- < $1,000 pledged　1,000 米ドル以下
- $1,000 to $10,000 pledged　1,000〜1万米ドル
- $10,000 to $100,000 pledged
- $100,000 to $1,000,000 pledged　1万〜10万米ドル
- > $1,000,000 pledged　10万〜100万米ドル

100万米ドル以上

Projects We Love
Saved projects
Following
Projects I've backed

- All projects　プロジェクトの進捗
- Amount Pledged　達成金額
- Goal　目標達成額
- % Raised　目標達成率

Goal
- < $1,000 goal
- $1,000 to $10,000 goal
- $10,000 to $100,000 goal
- $100,000 to $1,000,000 goal
- > $1,000,000 goal

% Raised
- < 75% raised
- 75% to 100% raised
- > 100% raised

図3-6　Kickstarterの言語と通貨設定

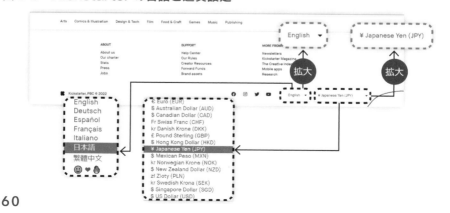

English　¥ Japanese Yen (JPY)

拡大　拡大

- English
- Deutsch
- Español
- Français
- Italiano
- 日本語
- 繁體中文

- € Euro (EUR)
- $ Australian Dollar (AUD)
- $ Canadian Dollar (CAD)
- Fr Swiss Franc (CHF)
- kr Danish Krone (DKK)
- £ Pound Sterling (GBP)
- $ Hong Kong Dollar (HKD)
- ¥ Japanese Yen (JPY)
- $ Mexican Peso (MXN)
- kr Norwegian Krone (NOK)
- $ New Zealand Dollar (NZD)
- zł Zloty (PLN)
- kr Swedish Krona (SEK)
- $ Singapore Dollar (SGD)
- $ US Dollar (USD)

⚠ INDIEGOGOを使った商品リサーチ方法

INDIEGOGOも規模、知名度ともにKickstarterに並ぶ世界的なクラファンサイトです。Kickstarterと比べると物販系のプロジェクトが多い傾向があり、次々と世界中の新商品が登場します。

図 3-7 INDIEGOGO の商品リサーチ方法

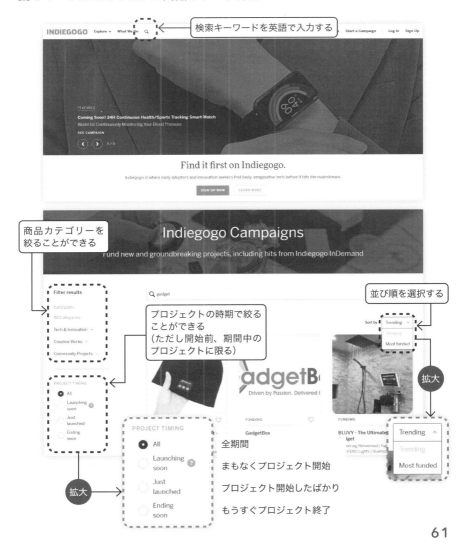

Chap.
3

検索キーワードを英語で入力する

商品カテゴリーを絞ることができる

並び順を選択する

プロジェクトの時期で絞ることができる
(ただし開始前、期間中のプロジェクトに限る)

拡大

拡大

全期間

まもなくプロジェクト開始

プロジェクト開始したばかり

もうすぐプロジェクト終了

リサーチ方法は**図3-7**のとおりですが、INDIEGOGOはKickstarterと比べると終了プロジェクトや達成金額で絞り込みができないなど検索しづらいところがあります。しかし**検索性がよくない分、ライバルセラーが見つけられないお宝商品が眠っていることが多いので、さまざまなキーワードで検索してみてください。**

なお、INDIEGOGOはサイト内の日本語設定はありませんが、達成金額などの通貨の設定はできます。**図3-8**のように画面を一番下までスクロールすると通貨の設定ができ、日本円換算で各プロジェクトのチェックができます。

図3-8　INDIEGOGOの通貨設定

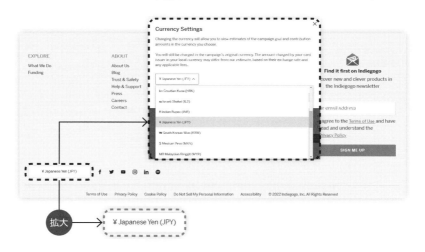

⚠ そのほかの海外クラファンサイトでリサーチする

初心者の方は、まずはKickstarter、INDIEGOGOを中心に商品リサーチをしましょう。同じリサーチをしているライバルセラーが多いものの、プロジェクトの数が突出しているため、よい商品を見つけやすいです。

とはいえ、次に紹介する他の海外クラファンサイトでもおもしろい商品が見つかることがあります。物販クラファンの経験を重ねてきたらチェックするようにしましょう。たとえば台湾は親日国なのでメーカーと関係を築きやすい利点があります。反面、画像や動画などのクリエイティブがいまひとつのプロジェクトが多く、そのまま日本で使っても訴求力が弱いことが多いです。

■ **台湾のクラファンサイト**

　台湾のクラファンサイトは、いずれも中国語（繁体）で表示され、サイト内の日本語設定や英語設定ができません。Google Chromeの翻訳機能を使って日本語や英語に変換するようにしてください。また、台湾の中心通貨は台湾ドル（2022年11月時点で1台湾ドル≒4.5円）です。米ドルとは為替レートがまったく違うので注意してください。

　台湾の代表的なクラファンサイトが**「zeczec」**です（**図3-9**）。台湾のプロジェクトをリサーチするならまずはzeczecを使えば問題ないですが、余裕のある方は最大手の**「Flying V」**やCAMPFIREと業務提携している**「群募貝果WeBackers」**もチェックしましょう。

　なお、台湾のメーカーの担当者は親日家で日本語が話せる方も多いです。日本語が話せなくても英語での対応が可能な担当者が多く、こちら側に英語の翻訳、通訳をサポートしてくれる外注スタッフがいれば問題ありません。

Chap.
3

図 3-9　zeczec（台湾）

■ **韓国のクラファンサイト**

　韓国も近年クラウドファンディングが活発ですが、韓国の代表的なクラファンサイトが**「Wadiz」**です（**図3-10**）。物販系のプロジェクトに強い韓国の有力クラファンサイトで、2018年からMakuakeと業務提携しています。

Wadizは公式サイトが韓国語で言語設定ができないので、Google Chrome で日本語か英語に変換して利用しましょう。また、通貨は韓国ウォン（2022 年11月時点で1ウォン≒0.1円）になります。Wadizで見つけたメーカーと 交渉する際、担当者の多くは英語が話せるので、翻訳や通訳の外注スタッフは 英語ができる方で問題ありません。

図3-10　Wadiz（韓国）

■ 中国のクラファンサイト

　中国のクラファンサイトは、画像や動画などクリエイティブの問題に加え、 商品に品質上の問題があることが多く注意が必要です。**プロジェクトの難易度 が上がるので、中国のクラファンサイトは実力が十分ついてから挑戦してみる くらいでいいでしょう。**

　とはいえ、人口世界一、GDP世界2位の中国のクラファンサイトは魅力的な プロジェクトがたくさんあります。代表的なクラファンサイトが、アリババグ ループのタオバオが2013年に設立した**「造点新貨」**です（**図3-11**）。2019 年12月にはMakuakeと業務提携しています。もう1つが総合家電メーカー小 米科技（Xiaomi）傘下の**「小米有品」**です。2020年にはGREEN FUNDING がオフィシャルパートナーになっています。プロジェクト数やリサーチのしや すさから考えると、中国のクラファンはこの2サイトをチェックするといいで しょう。

図3-11　造点新貨（中国）

■ ドイツのクラファンサイト

　ドイツはEUの家電展示会が催されるなど、ヨーロッパのさまざまなイノベーションの中心地です。そんなドイツの製品は革新的かつ機能的で洗練されたものが多く、人気が高いです。ドイツの代表的なクラファンサイトが「Start Next」です（**図3-12**）。規模が小さく、コロナ禍の影響もありまだプロジェクト数は少ないですが、革新的な商品の仕入先として頭の片隅に置いておくことをおすすめします。

図3-12　Start Next（ドイツ）

■ オーストラリアのクラファンサイト

オーストラリアは注目する日本人が少なく、競合を回避するという意味では検討の余地があります。また、オーストラリアは英語圏であるため、欧米のメーカー交渉と同様に英語が話せる翻訳・通訳の外注スタッフがいればスムーズに対応できます。

しかし、代表的なクラファンサイトである**「Pozible」**をはじめ、まだプロジェクト数や支援者数がかなり少なく、商品リサーチでは苦労します（**図3-13**）。今後はオーストラリアのクラファン市場も伸びてくるとは思いますが、現状は仕入先の1つとして記憶にとどめておく程度でいいでしょう。

図 3-13　Pozible（オーストラリア）

⚠ よい商品が見つかったら派生リサーチをしよう

海外クラファンサイトのリサーチについては、さまざまな方法で試してください。いろんな角度でリサーチすることによって日本で売れそうな商品が見つかります。人気順、資金提供額の大きい順、時系列など、いろいろ順番を変えて探してみてください。

もっとも、「支援額」「人気順」などで並び替えてリサーチすると、よく目立つ商品ばかりが上位表示されます。このような支援額が多く人気の高い商品は、ライバルセラーの多さからメーカーが強気で交渉してくるので難易度が高くなります。そのため、**単純な並び替えでリサーチするだけでなく「キーワード検索」を多く取り入れてください。**

たとえば、ゴルフが好きなら「golf」と入力してリサーチします。しかし、

「golf」だけで探しても商品数が限られるので、ゴルフの関連商品もチェックします。そこで、「Glove」「Tee peg」などの関連キーワードでもリサーチしてみます。

これは派生リサーチといわれる連想ゲームのようなリサーチ方法で、特によい商品が見つかった場合に実践してみることをおすすめします。**よい商品の関連商品を芋づる式に連想していけば商品探しに困ることはありません。**楽しみながらリサーチしてください。

⚠ Amazon.comを中心に 海外Amazonをチェックする

海外クラファンサイトだけでなく、**「Amazon.com」**を中心に海外のAmazonでメーカー探しをすることも有効です（**図3-14**）。この場合、参考となる商品ページ（LP）はなくなりますが、写真・動画など素材が揃っていれば商品ページを作ることはできます。Amazon.comでのメーカー探しは、大まかに以下のことを基準としてください。

▸ Amazonレビュー平均4以上（最低でも3.8以上）
▸ サクラレビューによりレビューの点数が高くなっていないこと（Amazonレビュー分析ツールを使うのも可）
▸ レビュー数が多すぎないこと（数千レビューの場合、大企業の可能性が高く手強い。ただしダメもとで交渉するのはあり）
▸ 販売価格100ドル以上
▸ 低評価（★1）と高評価（★5）レビューを読んで商品品質をチェックすること
▸ 日本で販売されていないこと（軽く調べたうえでメーカーに確認すればOK）

上記をクリアするメーカーを中心に打診して、日本市場に興味があるメーカーを探します。**独占販売契約が獲得できれば、すでに海外の一般販売で売れている商品なので、日本の一般販売でも売れる可能性が高い**です。ただし、Amazon.comで見つけたメーカーのメールやチャットの返信率は低い傾向にあるので、なるべく根気強くアプローチするようにしてください。

図3-14 Amazon.com（アメリカのAmazon）

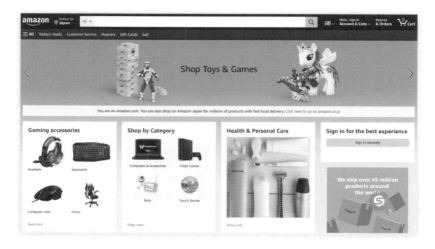

3 2 新商品の情報を発信している Webメディアをチェックしよう

　情報入手の観点から、新商品の情報を発信している以下のWebメディアをチェックすることもおすすめです。クラファン市場でどういったものが流行しているのか情報感度を高めるためにも、気になる商品の紹介があれば都度URLをストックしていきましょう。

RAKUNEW
ラ ク ニ ュ ー

　GREEN FUNDINGを運営しているCCC（TSUTAYA）グループ所有のオウンドメディアとECサイトを兼ねたサイトです。そのため、GREEN FUNDINGのプロジェクトが優先的に掲載されることがあります。また、海外のクラファンサイトで過去にヒットした商品情報も豊富なので、自分だったらどんなものがほしくなるかを考えながら商品をリストアップしてみるといいでしょう。
　「RAKUNEWに掲載されている商品を仕入れてプロジェクトを起案するのはNGか？」という質問を受けることがありますが、プロジェクトの起案はできます。というのも、RAKUNEWはあくまで海外クラファンなどの購入代行サイトであり、掲載されている商品は日本で一般販売されているわけでは

ありません。もちろん、すでに日本で正規代理店がある商品であればNGです
が、そうでなければ日本未発売なのでクラファンの起案は大丈夫です。その
ため、RAKUNEW掲載の商品でも積極的にメーカーにアプローチしてくださ
い。独占契約を結んだら、RAKUNEWに掲載の取り下げを依頼すれば大丈夫
です。

① bouncy
バ ウ ン シ ー

朝日新聞社子会社の朝日デジタルラボ運営のガジェット情報に特化したオウ
ンドメディアで、最新ガジェットレビュー記事が日々アップされています。こ
のbouncyのように、かつては個人がブログで発信していたニッチ情報を大手
のマスメディアが取り上げることが増えてきています。商品の需要を調べるこ
とはもとより、メディアに取り上げてもらえる商品とはどんなものかをチェッ
クするのにもおすすめです。

① GIZMODO JAPAN
ギ ズ モ ー ド ・ ジ ャ パ ン

machi-ya (⇒**P.43**) とタイアップしているガジェットメディアです。machi-ya
出品商品の記事は、判別できるように表示されているのでチェックしてみてく
ださい。

① lifehacker
ラ イ フ ハ ッ カ ー

GIZMODO JAPANと同じくmachi-yaで起案したプロジェクトの記事が掲
載されることがあるメディアです。ライフハック系のWebメディアで、仕事
のスキルアップなど物販とは直接関係のない記事も多いです。クラファンで
出品している商品については、「クラウドファンディング」のカテゴリーで
チェックしてみてください。

① Engadget（アメリカ版）
エ ン ガ ジ ェ ッ ト

Engadgetの日本版はGREEN FUNDINGとタイアップしています。起案さ
れたプロジェクトに関する記事が掲載されるなど、情報感度を高めるには良質
なWebメディアです。Engadgetの日本版は2022年3月末で終了し、現在は
アメリカ版のEngadgetに吸収されて運営されています（**図3-15**）。良質な

Chap.
3

情報が得られることには変わりなく、アメリカ版をGoogle Chromeの機能で日本語訳すれば問題ないでしょう。

図3-15　Engadget（アメリカ版）

⚠ 個人運営のブログでも良質な情報がある

　そのほか個人運営のブログでも、ガジェット好きな人や新しいモノ好きの人が新商品を詳細に紹介している記事があります。使用した感想や他製品との比較などを詳細に書いており、参考になることもあります。このような個人運営のブログを見つけたらチェックしてみてもいいでしょう。

`3` `3` 国内クラファンサイトも毎日チェックしよう

　KickstarterやINDIEGOGOなどで日本未発売の商品をリサーチすると同時に、国内のクラファンサイトもチェックするようにしましょう。特に利用機会が頻繁にあるMakuakeとGREEN FUNDINGについては、毎日5分でも10分でもチェックするようにしてください。

⚠ MakuakeとGREEN FUNDINGの 人気の傾向をつかむ

　MakuakeとGREEN FUNDINGを毎日チェックする目的は、国内クラファンで人気のある商品の傾向をつかむためです。毎日チェックすることで、経験や勘をもとにした目利きが鍛えられ、どんな商品が日本人に売れるのか徐々にわかってきます。**人気の傾向から外れた商品でなければ、事前集客（⇒P.208）を実施しリストを集めることで、ほぼ間違いなく100万円以上の支援を達成できます。**日ごろのチェックで目利きを鍛えることで、外れのない商品選びができるようになります。

⚠ 「海外で売れた商品＝国内で売れる商品」 とは限らない

　MakuakeやGREEN FUNDINGで商品の目利きを鍛える必要があるということは、「海外で売れた商品＝国内で売れる商品」とは限らないということです。海外クラファンサイトのリサーチでは、大きな支援が得られたプロジェクトを中心にアプローチするのが基本です（基準は⇒P.74）。しかし、海外で大ヒットした商品が日本で売れるとは限りません。**逆に海外ではそれほどヒットしなかった商品が日本で大ヒットすることもあります。**

　KickstarterやINDIEGOGOで大きな支援が得られた商品は、ほかのライバルセラーも狙っています。しかし、日本の売れ筋商品の傾向をつかめば、ライバルセラーがあまり目をつけていない達成金額の商品でも国内で売れるか否かを正しく判断できます。海外クラファンの達成金額を含めて総合的に判断するので、精度の高いリサーチができるでしょう。

⚠ 片方で出品され 片方で出品されていなければチャンス

　MakuakeとGREEN FUNDINGを見比べて、以下の傾向がある商品が見つかったときは大チャンスです。

> ▶ **片方のクラファンサイトである程度の支援がある（目安は300万円以上）**
> ▶ **片方のクラファンサイトには出品されていない**

　このような商品であれば、出品されていないほうのサイトに類似商品を

Chap.
3

出品すると、同様に大きな支援が集まることが期待できます。Makuakeと
GREEN FUNDINGをチェックしてこの傾向が見つかったら、Kickstarterや
INDIEGOGOで同カテゴリーの商品をリサーチしてみましょう。

ⓘ 商品ページ(LP)の作り方の参考になる

　商品ページ（LP）の作り方はChapter 6で詳しくお伝えしますが、売れて
いる商品は商品力が高いと同時に商品ページでしっかりと魅力を伝えていま
す。日々MakuakeやGREEN FUNDINGをチェックすることで、自然と商品
ページのコツもわかってきます。
　気になる方はChapter 6を先に読んでもらってもいいかもしれません。
Chapter 6を読んでから売れている商品をチェックすると理解度が深まるは
ずです。

ⓘ 国内クラファンサイトのリサーチのコツ

　MakuakeやGREEN FUNDINGの終了プロジェクトでは、目安として300
万円以上の支援が得られた商品をチェックしていきましょう。また、終わった
プロジェクトだけでなく、現在実行中のプロジェクトもチェックするように
してください。というのも、成功するプロジェクトの大半はスタートダッシュ
（プロジェクト開始1〜3日）の時点で大きな支援が得られています。そのた
め、**MakuakeやGREEN FUNDINGの今日1日のランキングは毎日チェッ
クするようにしましょう（図3-16）。**

図3-16　Makuake、GREEN FUNDINGのランキング

GREEN FUNDING

日本代理店の有無は
メーカーに聞くのが一番早い

　クラファンへの出品は日本未発売が条件ですから、すでにMakuakeや GREEN FUNDINGで出品されていたり、ほかのECサイトで一般販売されたりしていれば出品できません。そのため**商品リサーチの過程で国内流通の有無を念入りに調べる方もいますが、これは必要ありません。**いくら念入りに調べても、自社ECサイトで売られていたり、どこかの店舗に卸販売していたりすれば調べ切れないからです。すでにMakuakeなどでクラファン実施済みであれば、だいたいGoogle検索でヒットするので、「商品名」「メーカー名」で検索する程度で十分です。

　細かいところはメーカーに直接聞いてみるのが一番早いです。もし日本に代理店があれば、メーカーから「日本に代理店があります。○○に連絡してください」と返信があります。また**「商品Aは○○が代理店だけど、新商品Bはまだ代理店がないからどうですか？」とポジティブな展開になることもあります。**「以前は日本の代理店があったけど、今は契約が切れていてパートナーを探し中」と、絶好のタイミングとなる場合も珍しくありません。まずはメーカーに打診することを優先しましょう。

3 4 トラブルなく多額の支援が得られる 商品選び9つの判断基準

　物販クラファンの商品リサーチは、繰り返すことで経験と勘で目利きができるようになりますが、ある程度の基準は必要です。特に物販クラファンがはじめての方は以下の基準を持ってリサーチするようにしてください。そうすることで物販クラファンで成功する確率が上がりますし、無用なトラブルを防ぐこともできます。そして条件に合う商品をKickstarterやINDIEGOGOで見つけたら、どんどんメーカーにアプローチしていきましょう。

① 達成金額が最低1万ドル以上、 理想は5万ドル以上の商品を選ぶ

　できれば海外クラファンのプロジェクトの達成支援金額が5万ドル以上の商品を選ぶようにしましょう。支援金額が大きい商品ほど日本でも売れる期待は高くなります。とはいえ大ヒットした商品は多くのライバルセラーが狙っているため、メーカーも強気の交渉を仕掛けてくるので交渉の難易度が上がります。

　そのため、**ケースバイケースになりますが、1〜3万ドル程度のほどよい達成金額の商品を選ぶことも必要**です。先ほどお伝えしたように、「海外クラファンで売れた商品＝国内クラファンで売れる商品」とは限りません。支援金が1万ドル程度の商品でも、日本では1,000万円以上の支援が得られることもあるので柔軟に考えましょう。特にMakuakeやGREEN FUNDINGを日ごろからチェックして「これは日本で売れそうだな」とピンと来た商品は積極的にアプローチしてください。

　ただ、**10万ドル以上の支援を達成した大ヒット商品でもダメもとでメーカーに打診はしてみましょう。**場合によっては、代理店と契約が切れた直後など独占契約を獲得できることもあります。達成金額1万ドル程度のものから10万ドル以上のものまで幅広くリサーチしてメーカーに打診しましょう。

① 商品単価が最低1万円以上、 理想は3万円以上の商品を選ぶ

　Amazon物販に慣れている方は少し戸惑うかもしれませんが、物販クラファンでは、ある程度の高単価商品が望ましいです。**目安は、日本での販売価格が最低でも1万円以上、理想は3万円以上で、米ドルにすると100〜300**

ドルくらいの**商品**です。

　クラファン支援者は、ある程度お金に余裕のある方が多いです。また、「ほしければ高くても買うし、ほしくなければ安くても買わない」と、商品を買ったときに得られる体験や価値を大切にします。価格を購入の最優先事項にはしていません。少なくとも「日用品を安く、早く手に入れたい」というAmazonや楽天の消費者層とは違うので、ある程度高くても売れます。

　単価の高い商品をおすすめするもう1つの理由は、商品単価が低いと利益から広告費を捻出できない可能性があるためです。集客のためにWeb広告を打つ戦略をとることがありますが（⇒P.219）、商品単価が安いからといって広告費は変わりません。たとえば、**1つの商品を購入してもらうための広告費が3,000円だとしたら、どんな商品でも3,000円**です。商品単価3万円の商品でも3,000円、3,000円の商品でも3,000円です。いうまでもなく後者の場合は利益が出ないので、広告は出せないという判断になってしまいます。高単価のほうが広告施策をとることができます。

⚠ リターンが完了して一般販売している商品を選ぶ

　購入型クラファンで炎上やクレームを防ぐためにもっとも注意するべきことは、リターン商品の配送をしっかりと行うことです。具体的には以下の点に注意し、不良品の発生や発送遅延を極力防がないといけません。

> ▶メーカーの商品生産経験
> ▶商品の品質確認
> ▶そもそも技術的に生産可能な商品か

　購入型・寄付型クラファンでは支援者の20〜30%くらいがトラブルを経験しています。多くは商品の遅延や不良品などリターン提供に伴うものです（**図3-17**）。

　KickstarterやINDIEGOGOなどで海外クラファンを実施しているメーカーは、新興メーカーが多いです。だからこそ私たちのような個人でも独占契約を結べるのですが、その代わり生産能力に不安のあるメーカーもあります。**生産能力に不安のあるメーカーを避ける一番の方法は、無事にリターン済みとなって一般販売している商品にアプローチすること**です。それならば技術的に難しそうな商品もリスクなく扱うことができます。

図 3-17　購入型・寄付型クラファンのトラブル

購入型・寄付型クラウドファンディングの利用にあたってトラブルや困ったことなどの経験の有無

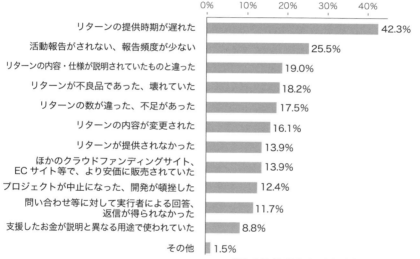

	トラブルにあったり困ったことがあった	特にない
全体（n = 520）	26.3%	73.7%
20代（n = 104）	43.3%	56.7%
30代（n = 104）	24.0%	76.0%
40代（n = 104）	28.8%	71.2%
50代（n = 104）	18.3%	81.7%
60歳以上（n = 104）	17.3%	82.7%

■トラブルにあったり困ったことがあった　■特にない

購入型・寄付型クラウドファンディングの利用にあたってトラブルや困ったこと（複数回答）（n = 137）

リターンの提供時期が遅れた	42.3%
活動報告がされない、報告頻度が少ない	25.5%
リターンの内容・仕様が説明されていたものと違った	19.0%
リターンが不良品であった、壊れていた	18.2%
リターンの数が違った、不足があった	17.5%
リターンの内容が変更された	16.1%
リターンが提供されなかった	13.9%
ほかのクラウドファンディングサイト、ECサイト等で、より安価に販売されていた	13.9%
プロジェクトが中止になった、開発が頓挫した	12.4%
問い合わせ等に対して実行者による回答、返信が得られなかった	11.7%
支援したお金が説明と異なる用途で使われていた	8.8%
その他	1.5%

（注）トラブルや困ったことなどがあった者が集計対象

出典：三菱UFJリサーチ&コンサルティング株式会社　クラウドファンディング（購入型）の動向整理　2020年9月30日
https://www.caa.go.jp/policies/policy/consumer_policy/meeting_materials/assets/internet_committee_201013_0002.pdf

　具体的には、終了したプロジェクトのコメント欄でリターン商品未着などにより炎上していないかチェックしてください（**図3-18**、**図3-19**）。炎上したとしてもメーカー側が真摯に対応していれば大丈夫ですが、そうでなければ品質上の不安が残るので見送ったほうが無難です。一般販売されているかどうかは、商品名をGoogle検索すると表示されて、Amazon.comなどで販売しているかどうかで判断できます。

図 3-18　Kickstarter のコメント欄

図 3-19　INDIEGOGO のコメント欄

　もう1つ、終了プロジェクトのメーカーに打診をおすすめする理由は、そもそも海外クラファン実施中は日本でクラファンを実施できないからです。まだ終了していないプロジェクトのメーカーにアプローチしても、日本でのクラファン実施は早くても数カ月後になってしまいます。経験を積むことを優先する意味でも、特に初心者の方には終了プロジェクトへの打診をおすすめします。何カ月も何もしないで待つのはもったいないですから。

　とはいえ、海外クラファン実施中のメーカーにはまったく打診しないほうがいい、というわけではありません。**大きな支援を得ている商品であれば、海外クラファン実施中のメーカーにも打診することがあります。**明らかに日本で売

れそうなおもしろい商品であれば、クラファンスタート前から打診すること
だってあります（目利きが必要ですが）。クラファンが終了したメーカーに比
べて、クラファン実施中のメーカーは競争率が低いためです。

⚠ 30 〜 50代・男性向け商品が多いが 女性向け商品も増加している

　物販系のクラウドファンディングの中心顧客は、30 〜 50代の男性で
す。**図3-20**はMakuakeの支援者層を表したグラフですが、40 〜 50代の
層だけで半数を超え、男女比でも男性のほうが多くなっています。GREEN
FUNDINGは、Makuake以上にガジェット系、アウトドア系の傾向が強く、
30 〜 50代男性向けの商品が多い印象があります。

図3-20　Makuakeの支援者の属性

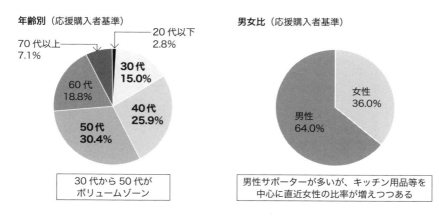

出典：株式会社マクアケ　2021年9月期 第2四半期　決算説明資料
https://ssl4.eir-parts.net/doc/4479/tdnet/1955419/00.pdf

　ただ、最近は物販系のプロジェクトでも女性支援者の割合がじわじわと増え
ており、特にMakuakeではその傾向が強いです。商品によっては女性の支援
が50％以上になる場合もあります。そのため、30 〜 50代・男性ターゲット
の商品選びにこだわる必要はありません。女性で物販クラファンに取り組む方
は、女性向け商品を選ぶのも1つの手です。
　また、上記のようなクラファンの支援者層は、日常にあふれている商品を求
めていません。**新しいモノが好きで流行に敏感な人が多く、人に自慢したくな
るような一風変わった商品を求める傾向があります。**この点を踏まえて、思わ

ずほしくなる、ワクワクするような商品を選ぶようにするといいでしょう。

⚠ 国内クラファンでヒットした商品の 類似商品を選ぶ

P.70でお伝えしたように、KickstarterやINDIEGOGOでのリサーチと同様に、MakuakeやGREEN FUNDINGも毎日チェックするようにしましょう。そして、MakuakeやGREEN FUNDINGでヒット商品の多いカテゴリーやキーワードを使って、逆引きでKickstarterやINDIEGOGOでリサーチするようにしてください。**過去にMakuakeやGREEN FUNDINGで成功した商品の類似商品はヒットする可能性が高い**です。特に片方で出品され片方で出品されていなければ大チャンス（⇒P.71）です。

また、KickstarterやINDIEGOGOで売れそうな商品を見つけても、MakuakeやGREEN FUNDINGで類似商品が売れているかは必ずチェックしてください。もしなければ今まで誰も注目しなかったブルーオーシャンの可能性もあり得ますが、残念ながらニーズのない商品という場合が多いです。

⚠ 機能、素材、権威性で差別化できる商品を選ぶ

国内クラファンヒット商品の類似商品といっても、まったく新しさがない商品は売れません。そのため、機能や素材面で類似商品と違う魅力のある商品を選ぶようにしましょう。一例を挙げれば、「NASA技術を用いた……」「チタン製の〇〇」といった具合です。

特に珍しいもの、「何それ？」と意外性の高いもの、最新の科学技術によるものほどクラファン支援者層には支持されやすいです。30〜50代男性には、ややオーバースペックのものがウケることもあります（タワマン最上階から落としても壊れないなど）。また、時代を先取りしたような近未来感のある商品や、見た目はレトロだけど最新の技術を用いた商品も売れやすいです（USB給電のレコードプレーヤーなど）。

もっとも、一番大事なことは支援者のニーズがある商品を選ぶことです。ほんの一例ではありますが、機能面や素材面で**図3-21**に示すようなベネフィット（支援者にとってのメリット）のある商品を選びましょう。商品リサーチをするときは「自分もほしいな」「〇〇さんが好きそう」など支援者のニーズを考えることが基本です。そういう意味では、自分が興味のあるカテゴリーをリサーチすると自分事として考えやすいでしょう。

図 3-21　機能や素材のベネフィット例

機能面	「パワフル」「壊れない」「コンパクト」「取り付け簡単」「お手入れ簡単」「○○不要」「○○するだけ」「○○でもOK」
素材面	「軽い」「丈夫」「伸び縮みする」「破れない」「衛生的」「水に濡れても大丈夫」「耐熱性」「保冷保温」「汚れない」

　そのほか、権威性が強い商品も売れやすいです。詳しいことはChapter 6でお伝えしますが、以下のような強い肩書き、過去の強い実績、大手メディアへの掲載実績などが響きます。

> ▶ノーベル賞受賞の○○博士監修の……
> ▶ヴィトンの元一流デザイナーが作った……
> ▶300年の伝統がある……
> ▶海外で1億円の支援を集めた……
> ▶Forbesでも特集された……

　これは「元ミシュラン三ツ星のシェフが……」「○○賞受賞……」と書いているお店に思わず足を運んでしまうのと同じ原理です。権威性があるものは信頼されやすいですし、これだけでも他商品との大きな差別化になるので訴求しやすいです。

(!) 商品によっては古いプロジェクトを選ぶのもあり

「支援額は大きいが、2年以上前の古いプロジェクト。メーカーにアプローチすべきかどうか」という質問もよくあります。
　商品のジャンルにもよりますが、基本的には古い商品にアプローチするのはおすすめです。直近のプロジェクトは商品リサーチで見つけやすく、多くのライバルセラーがアプローチするので、メーカーとの交渉難易度が上がります。一方で、**古いプロジェクトは検索しても見つけにくいため意外とブルーオーシャンであることが多い**です。特にKickstarterは古いプロジェクトを探しにくいサイト設計になっているため、その分お宝商品が眠っていることがあります。
　ただし、**古いプロジェクトを選ぶときは商品寿命に注意してください。**商品寿命が短く、すでに時代遅れになっているものであればやはり避けたほうが無難です。たとえば家具、インテリア用品は寿命が長い商品が多く、古いプロ

ジェクトでも問題ないことが多いです。しかし、ガジェット系など次世代モデルが次から次へと登場する商品は、あまり古いプロジェクトはおすすめできません。また、一過性のトレンドにも注意が必要です。古いプロジェクトのあり・なしは商品によって判断するようにしましょう。

⚠ Kickstarterで 日本からの支援が多い商品を選ぶ

やや細かいテクニック論になりますが、Kickstarterのコミュニティ欄には支援者の住んでいる国トップ10が表示されます（**図3-22**）。**日本からの支援が多い商品は日本で売れる可能性が高いので、目安の1つとしてチェックしてください。**

図 3-22　Kickstarter のコミュニティ欄

⚠ RAKUNEWで「いいね！」が多い商品を選ぶ

これも少し細かいテクニックですが、RAKUNEWに出品されている商品で「いいね！」が多い商品は、日本で好まれる可能性が高いものです（**図3-23**）。**目安としては500～1,000いいね！を超えている商品です。RAKUNEWから逆引きして海外クラファンサイトをリサーチしてみましょう。**ただ、いいね！が少ない商品でも日本で売れる商品はいくつもあるので、これはあくまでも参考値ととらえてください。

図 3-23 RAKUNEW の「いいね！」

3 5 このジャンルは 慎重さを忘れないようにしよう

　海外クラファンで売れている商品がそのまま日本で売れるとは限らず、ジャンルによっては要注意の商品もあります。次に説明するジャンルは「絶対にこの商品は日本で売れない」というわけではなく、大ヒットする要素もあるものの選ぶときには注意を要するものです。少なくとも日本での需要を大きく読み間違えないようにするには、日ごろからMakuakeやGREEN FUNDINGで商品リサーチを重ねることが大切です。

⚠ SDGs、サスティナブル系商品

「サスティナブル商品」とは、環境に優しいエコな商品で、特に生産、販売、消費、廃棄までを通して環境への負担を減らせるものを指します。SDGsやサスティナブルについては日本でも急速に浸透しており、国内クラファンでもヒットしやすくなっています。とはいえ、**「使い心地がいい」など支援者がメリットを感じられることが前提**です。

　海外ではSDGsやサスティナブルを前面に押し出し、機能や素材面ではメリットを感じない商品がヒットしていることもあります。しかし、サスティナブルをうたっても需要に見合わない商品は、日本ではなかなか受け入れられないのが現状です。サスティナブル商品を選定する際はこの点に注意しないと、「当てが外れて売れなかった」ということになります。

　逆に、日本人の需要に合った商品でSDGsを全面的に押し出した商品であれ

ば大ヒットする可能性が高いです。特にクラファンの支援者層は、SDGsやサスティナブルに対する意識の高い人が多いです。商品ページでは、使う人のメリットを説明しながらサスティナブルな面もPRすると込められた想いが伝わるでしょう。

ⓘ 発展途上国サポート系商品

　発展途上国をサポートするための商品は、コンセプトは素晴らしいのですが、やはり支援者がメリットを感じられなければ支援は集まりません。サスティナブルも発展途上国サポートも一見クラファンと相性がよさそうなのですが、日本の物販クラファンでは支援者の需要が大切です。発展途上国サポート系も、あくまで商品を使う人のメリット次第で、それを感じられる商品であれば問題ありません。まだサスティナブルほど関心が高いジャンルではないですが、商品ページの後半で想いをしっかり伝えることで売れやすくなります。

ⓘ 訴求ポイントがデザインのみの商品

　クラファンの支援者層は、他人に自慢したくなるような商品を求める傾向があります。とはいえ、**デザイン性だけを強調して、機能や素材面で使う人のメリットが感じられない商品は、なかなか大きな支援が得られません。**たとえば時計や財布、バッグなどで「かっこいい」だけをアピールして出品しても、一流ブランドでもない限りは「だから何？」となるのです。デザイン性による所有満足感に訴求するのは、かなり難易度が高いので注意してください。しかし、「○○の職人が丹精込めて作り上げた……」「300年の歴史がある……」など権威性を感じる商品であれば勝機はあります。

ⓘ 一過性のトレンドに乗った商品

　過去に時勢の影響などで爆発的に売れたような一過性のトレンド商品は要注意です。たとえばコロナ禍で爆発的にヒットした商品が今後も売れるとは限りません。このような商品はすでにクラファンでは売れなくなっていますし、一般販売でも厳しくなっています。「これは今どき厳しいかな」「時代遅れかな」と思うような商品は避けたほうが賢明です。逆にトレンドの流れを読んで「この商品はこれから売れそうだな」と思えるようなものであれば挑戦してみてもいいでしょう。

3 6 一般販売を意識した商品の選び方

クラファンプロジェクト単体で爆発的な利益を得るだけでなく、その後の一般販売でも継続的に利益を得るのは物販クラファンの理想形です。取引するメーカーも一般販売までサポートしてくれることを望んでいます。しかし、クラファンで大ヒットしたからといって、一般販売でも売れるとは限りません。クラファンの支援者と一般販売の消費者では求めている商品に違いがあるからです。Amazon、楽天、自社ECサイト、実店舗販売など、クラファン終了後のビジネス展開についてはChapter 9でお伝えしますが、商品リサーチの時点で「クラファンで終わるのか」「一般販売をするのか」といった出口戦略は大まかにでも考えておきましょう。

① クラウドファンディングと一般市場の違い

クラファンの支援者と一般販売の消費者の違いについては、「イノベーター理論」のなかの**「キャズムの谷」**で考えるのがわかりやすいでしょう（**図3-24**）。イノベーター理論は、商品の市場への普及率を示すマーケティング理論の1つで、市場のターゲット層を5つに分類します。

図3-24　イノベーター理論とキャズムの谷

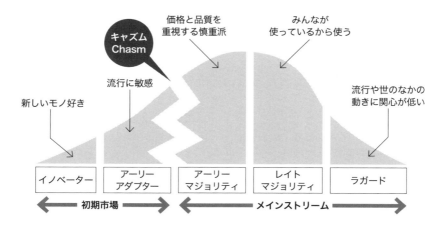

イノベーター理論の5分類になぞらえると、**クラファンの支援者は「イノベーター」「アーリーアダプター」に該当します。**一方で**一般市場の消費者は、「アーリーマジョリティ」「レイトマジョリティ」に分類される、新しいモノには比較的慎重な層**です。アーリーアダプターとアーリーマジョリティの間には大きな隔たりがあるとされ、これを「キャズムの谷」といいます。クラファンサイトでは革新的な商品が多く、Amazonや楽天では少ないのはキャズムの谷が理由です。

① クラファンでも一般販売でも売れるための 4つの判断基準

クラファンと一般販売の両方で成功するには、キャズムの谷を越えられる商品である必要があります。こういうと、クラファンと一般販売両方で売ることは難しいと思ってしまいがちですが、そんなことはありません。実際に、クラファンでも一般販売でも売れた例はいくつもあります。また、クラファンの支援はいまひとつ伸びなかったものの、メディアに取り上げてもらったり卸販売の案件につながったこともあります。一般販売に合った商品選びをすることで、クラファンと一般販売両方でよく売れる可能性が高くなります。

■ 検索キーワードがある商品を選ぶ

キャズムの谷を越えられる商品とは、一言でいえば消費者が検索して見つけられるくらい認知された商品です。一般販売では、消費者はキーワード検索をして商品ページにたどり着きます。たとえばAmazonの消費者は、Amazonサイト内の検索窓で商品名や商品ジャンルを検索して商品を探します。「万年筆」「自転車」「パソコン」などといった言葉です。このように、**誰でも知っている商品ジャンルなど認知された検索キーワードであれば簡単に探すことができます。**

一方で、すぐに検索キーワードや商品ジャンルが思い浮かばない商品の場合は探すことができません。たとえばはじめて聞くような名前の商品で、一昔前でいえばドローンがよい例です。ドローンは今でこそ知らない人がいないくらい認知されていますが、少し前はドローンという言葉で検索する人は誰もいませんでした。このような商品は認知されるまで広告費がかかります。

ただし、クラファンは革新的な新商品のPRの役割も強いので、クラファンをきっかけに商品の認知が拡大していくこともあります。**難易度は高くなりますが、新しいキーワードで認知が拡大すれば、シェアを独占できる可能性があります。**クラファンをきっかけに注目を集めた商品や、広告費にある程度余裕

がある場合は新しいキーワードで一般販売に取り組んでもいいでしょう。

■ 一般販売を意識した価格設定をする

　一般販売でも高単価商品のほうが望ましく、目安はP.74でお伝えしたとおり、最低１万円以上、理想は３万円以上です。ある程度の単価があったほうが一般販売でも広告費を捻出しやすいためです。

　注意してもらいたいのは、クラファン終了後の半年間は一般販売価格をクラファン販売価格より安く設定できない点です。そのため**一般販売を意識するのであれば、一般販売されている類似商品の価格も視野に入れたうえでクラファン価格を決定する必要があります**。仕入価格が高く、販売価格が相場より大幅に高くなってしまう商品は、一般販売は難しい傾向にあります。一般的な相場×1.3倍くらいの価格を目安にできる商品は、一般販売も行いやすいです。1.3倍と少し高単価に設定できるのは、一般販売されている類似商品にはない付加価値がついていることを前提としているためです。

■ 寿命が長い商品を選ぶ

　一般販売するなら、次々と新作が発売される商品寿命が短い商品より、商品寿命が長い商品のほうが継続的な売上が見込めます。つまり、新作が引きも切らないタイプの商品ではなく、インテリア系のような長期間使うことを前提とした商品です。

　また、**中国ですぐに真似されてしまう商品は商品寿命が短い傾向があります**。商品寿命が長いのは、開発ストーリーやブランドの背景がイメージしやすい欧米系の商品です。安価な類似品が大量に出回ることになれば、高単価で一般販売するのは難しくなります。息長く販売したいのであれば、アリババやタオバオなどで類似商品が出回っていないか確認して、もしあれば避けるのが得策です。そもそも中国で安価な類似商品が大量に出回っている場合は、「新規性がない」としてクラファンの審査で落とされる可能性があります。

■ 品質をより意識する

　品質がよい商品を選ぶのは、クラファンで完結するにしても当然重要ですが、一般販売ではより重要になります。アーリーマジョリティ、レイトマジョリティに該当する一般市場の消費者層は品質を重視する傾向が強いです。クラファンでは、多少品質にブレがあっても事後対応をしっかりすれば大問題になることは少ないです。しかし、**一般販売では低品質な商品はマイナスレビューがすぐに反映され、商品の評価が著しく下がり売れない商品になります**。一般

販売を意識するのであれば、商品の品質にはいっそう気を配らないといけません。

---

3 7 輸入ビジネス 5つの法律規制と突破方法

　輸入ビジネスでは、「PSE」や「技適」などの認証手続きや検査が必要なことがあります。知らずに日本の法律をクリアしないまま商品を仕入れて販売すれば、法律違反で罰則を受けることがあります。当然、商品は販売できなくなります。

　輸入ビジネスや物販クラファン初心者の方は、次に説明する法律に関わらない商品を狙って商品リサーチすることをおすすめします。一方で、各種の法規制はライバルの参入障壁になります。また、検査費用についてはメーカー側が全額もしくは一部負担してくれることが多いです。そのため、一定のハードルこそあるものの、経験を積んできたらPSE、技適、食品衛生法に関わる商品を選定するのも有効な戦術です。実際、輸入規制の壁を突破してヒットに至る商品も多いです。

　なお、輸入規制については今後も法改正があり得ますし、判断に迷う点も出てくるでしょう。そのため、詳細は以下の専門機関に直接問い合わせるようにしてください。いずれも無料相談が可能です。「正確な情報」を「正確な相手」から聞き出すようにしましょう。

▶各地域の経済産業局 ➡ 主にPSE、PSCに関する相談
　https://www.meti.go.jp/policy/innovation_corp/kakukeizaikyoku.html

▶各地域の総合通信局 ➡ 技適関連の相談
　https://www.tele.soumu.go.jp/j/sys/fees/other/commtab1/

▶ジェトロ（日本貿易振興機構）
　https://www.jetro.go.jp/

▶ミプロ（対日貿易投資交流促進協会）
　https://www.mipro.or.jp/

Chap.
3

⚠ 電気用品安全法（PSE法）

「電気用品安全法」は、**「PSEマーク」**でおなじみの、電気用品を扱う事業者に危険な販売をさせないための法律で、**「電安法」「PSE法」**とも呼ばれます。簡単にいうと、**該当する商品についてはPSEマークがなければ輸入、販売を禁止するという法律**です。PSE法は世界共通ではないので、輸入品が国内でPSE対象商品に該当すれば、日本で届出の手続きを行うことが必要になります。もし違反すると、最大で1年以下の懲役、または個人は100万円以下、法人は1億円以下の罰金となります。

■ PSE法の対象商品例と対象外商品例

　PSE法の対象商品例と対象外の商品例を以下に挙げます。判断に迷う微妙なケースは各地域の経済産業局やPSE法に詳しい専門機関に問い合わせてください。なお、**「菱形PSE（特定電気用品）」**のほうが危険度の高い商品とされて難易度は高いですが、多くのケースは**「丸形PSE（特定電気用品以外の電気用品）」**に該当します（**図3-25**）。

PSE法の対象となる商品例
- ▶ コンセントがついた家電製品
- ▶ リチウムイオン電池（400Wh/L以上）
- ▶ モバイルバッテリー（内蔵する単電池1個あたり400Wh/L以上）

PSE法の対象外となる商品例
- ▶ USB給電の家電製品
- ▶ コンセントがなく乾電池を使用する家電製品
- ▶ コンセントを使用しないPC、スマホ周辺機器（ヘッドフォンなど）
- ▶ ACアダプタで直流に変換されて給電される機器（ただしACアダプタはPSE法対象）
- ▶ スマホ、タブレット（電波法に注意）
- ▶ モバイルバッテリー機能付きWi-Fiルーター
- ▶ 機器に装着されて外せないリチウム電池
- ▶ そのほか経産省のリストに載っていないもの（ただし日々更新される）

図 3-25　2つのPSE マークと対象例

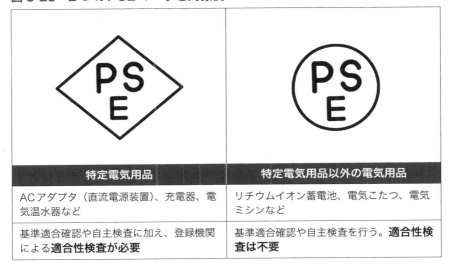

特定電気用品	特定電気用品以外の電気用品
ACアダプタ（直流電源装置）、充電器、電気温水器など	リチウムイオン蓄電池、電気こたつ、電気ミシンなど
基準適合確認や自主検査に加え、登録機関による**適合性検査が必要**	基準適合確認や自主検査を行う。**適合性検査は不要**

■ ACアダプタ式商品の取り扱い

「ACアダプタ式の商品はどう考えたらいいか？」という質問がよくあります。ACアダプタは特定電気用品となりますが、機器本体は対象外となります。そのため、**ACアダプタだけ国内で仕入れるようにすればPSEの届出は不要になります。**その場合は、ACアダプタの国内仕入先に再販（メーカーが卸売業に販売したものを再度小売業で販売すること）していいか十分確認しておきましょう。また、電圧・電流など商品仕様と合っているかどうかを必ず確認してください。

　クラファン時は国内で仕入れたACアダプタを同梱して、一般販売で継続的に販売するのであれば海外から仕入れることを検討するのもいいでしょう。その場合は、特定電気用品のため登録機関による適合性検査が必要になります。検査費用などの詳細は専門家に問い合わせるようにしてください。

■ PSEの届出にかかる費用と期間

　PSEの届出にかかる費用と期間についてはケースバイケースです。菱形PSE（特定電気用品）と丸形PSEでかかる費用は違います。目安としては、丸形PSEが15～30万円、適合性検査のある菱形PSEの場合は80万円を超えることが多くなります（海外メーカーが費用を負担してくれる場合もあります）。期間は最低でも2カ月以上かかるので、取り扱いを考えている方は早めの対応が必要になります。

ただし、**以下に該当すると試験が必要なかったり省略できたりすることで手間や費用を大幅に削減できる場合があります。詳細は専門家などに確認してみてください。**

> ▶ 特定電気用品 ➡ 製造工場が、同じ型式の区分（電気用品安全法上の分類）の製品の適合性検査を実施したことがある場合
> ▶ 特定電気用品以外の電気用品 ➡ 電安法別表第12（国際規格等に準拠した基準）に入る商品で、国際規格に整合している場合。ただし日本特有の基準（デビエーション）が存在する場合があるので注意

▓ PSE法に関わる危険な罠

　もしも**中国の工場などで以下のようなことをいわれたとしても、絶対に鵜呑みにしないでください。**必ず経済産業局やPSE法に詳しい専門家に確認するようにしましょう。

「この商品はもうPSEマークがあるからすぐ販売できる」

　PSEは日本独自の基準です。また、PSEマークを表示するには届出事業者名、登録検査機関名称、定格電圧・電流をあわせて記載する必要があるため、PSEマークを使い回すことはできません。これをいわれたら100％間違いと考えてください。

「この商品は国際規格に適合しているからPSEをつけていい」

　国際規格に準拠しているとしても、日本特有の基準が追加されている場合がほとんどです。そのため工場側でこのような判断をすることはあり得ないので注意してください。

「テストレポートや適合同等証明書ならある」

　特に中国ではたくさんの偽テストレポートが出回っています。入手するにしても必ず中身を確認してください。まったく別の商品について書かれていたり、事業者名と工場名が一致しなかったりしていれば、ほぼ偽物です。

「火事にならなければPSEマークがなくてもバレない」

　100％とはいいませんが、経済産業省は定期的に試買調査をしているので、かなり高い確率で発覚します。法律は絶対に守ってください。

(!) 電波法（技適）

電波の公平で能率的な利用を確保して、電波障害などの防止を目的としたのが**「電波法」**です。**図3-26**の**「技適マーク」**でおなじみですが、電波法は電波を発する商品のほぼすべてが対象となり、無線免許のない人は技適マークがない商品を使えません。もし無線免許を持たない人が技適のない商品を使用すると、1年以下の懲役もしくは100万円以下の罰金となります。**日本で使用するには日本の技適マークが必要で、アメリカの「FCCロゴ」やヨーロッパの「CEマーク」があってもNGなので注意してください。**

電波法は制定当時の考え方が残っているため、販売者ではなく使用者が罰せられます。だからといって、当然技適マークのない商品を販売していいわけがなく、Makuakeなどのクラファンサイトの出品申請では技適の適合が求められます。

図 3-26　技適マーク

■ 電波法の対象商品例と対象外商品例

電波法の対象商品例と対象外の商品例を以下に挙げます。海外製のスマホは、日本のSIMカードを入れたとしても技適マークがないとNGになります。電波法についても、判断に迷う微妙なケースは総務省や各地域の総合通信局に問い合わせてください。

電波法の対象となる商品例──────────

Bluetooth、Wi-Fiなど電波を発する商品全般。スマホ、タブレット、トランシーバー、ラジコン、ドローン、防犯カメラ、防犯センサー、FMトランスミッター、盗難警報機、小型カメラ付きゴーグル、雪崩ビーコン、ドアホン、インターホン、火

災警報器、ベビーカメラ、呼吸センサー、おむつセンサー、徘徊センサー、歩数計、ワイヤレススピーカー、ワイヤレスヘッドフォンなど

電波法の対象外となる商品例
▶ 電波を受信するだけの商品（有線のGPSレシーバーなど）
▶ 赤外線通信や紫外線を使用する商品
▶ 図3-27の所定レベル以下の微弱無線設備（おもちゃのトランシーバーなど）

図3-27 微弱無線の3mの距離における電界強度の許容値

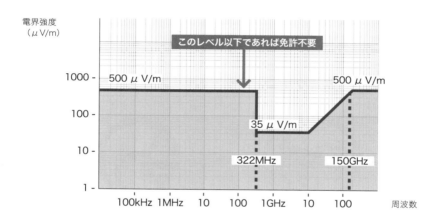

出典：総務省　電波利用ホームページ　微弱無線局の規定
https://www.tele.soumu.go.jp/j/ref/material/rule/

■ 技適取得の手続き、期間、費用

　技適マークはPSEマークよりはハードルが低く、特にBluetoothなどの汎用的な規格の場合は手続きさえすればほぼ間違いなく取得できます。技適の認証を取得するには、**「技術基準適合証明」**と**「工事設計認証」**の2つがあります。量産される無線機器を扱う場合は、任意の1台だけ試験を行う「工事設計認証」を適用します。**「工事設計認証」の場合、技適の認証取得期間は書類作成、サンプル作成、試験を含めて2カ月程度、費用はBluetoothなら約30万円が目安**です。

■ 技適取得には仕入先工場の協力が必須

技適の認証取得には、PSEと同様に認証登録機関を利用することが必要になります。手続きの詳細は登録機関に確認するようにしてください。ただ、**サンプル作成や必要書類の一部について仕入先の工場の協力が必要となります。**電波法認証経験のある工場の場合はスムーズに進みますが、そうでない場合は時間を要することがあるので、対応にどれくらいかかるか確認するようにしてください。

■ アメリカのFCC認証をとっている商品は取得しやすい

アメリカのFCC認証と日本の技適は基準がかなり似ているため、FCC認証をとっている商品は比較的技適が取得しやすい傾向があります。FCC認証取得用の必要書類は技適の申請にも流用でき、工場側がスムーズに対応してくれることが多いので、楽に進めることができます。

⚠ 食品衛生法

輸入ビジネスでは食品関係を輸入して販売することはほとんどありませんが、**「食品衛生法」**の対象になるのは食品だけではないので注意してください。「食品に接触するもの」「口に入れる可能性のあるもの」が食品衛生法の対象となります（**図3-28**、**図3-29**）。

食品衛生法に関する手続きについては、P.4のQRコードからダウンロードできる「食品衛生法突破マニュアル」を見てください。食品衛生法は、手間や費用面から見て比較的クリアしやすい法律です。しかし品目によって必要な対応が変わるので、詳細は最寄りの検疫所かミプロに相談しながら申請を進めるようにしてください。

食品以外の食品衛生法の対象
- ▶ 器具
- ▶ 容器包装
- ▶ 6歳児未満の乳幼児を対象としたおもちゃ

食品衛生法の対象外
- ▶ 直接食品に触れない器具、容器包装（食器を収納するケース、食器棚、ナイフや

包丁のさや）

▶ 口に触れる可能性のない乳幼児用おもちゃ（メリー、遊戯具、乳幼児がなかに入るミニチュア家具、乳母車、ピアノなど口に触れない楽器、髪どめ、ピンバッジ、文房具など）

▶ 観賞用の食器（アンティークのティーカップなど）

図 3-28　器具の食品衛生法対象例

飲食器	カップ、皿、タンブラー、はし、スプーン、ナイフ、フォーク、ほ乳具、ストロー
割ぽう具 （調理用具）	包丁、まな板、なべ、フライパン、ボウル、おたま
食品に直接接触する機械、器具など	コーヒーメーカー、ジューサー、ミキサー、スライサー、パスタマシン、タンク、ボトル、コンテナ、冷蔵庫、水筒、調味料入れ、食品トレー、かご

図 3-29　乳幼児用おもちゃの食品衛生法対象例

口に接触するもの	おしゃぶり、歯固め、ふくれんぼ、シャボン玉の吹き出し具、口紅の形をしたおもちゃ、おもちゃの吹奏楽器類（ラッパ、笛、ハーモニカなど）
アクセサリー玩具	指輪、ネックレス、ブローチ、ペンダントなど
知育玩具	口に接触する可能性のあるもの全般（輪投げ、おもちゃの弓矢、水鉄砲、刀、手裏剣など）

⚠ 薬機法（旧薬事法）

「薬機法」は「医薬品、医療機器等の品質、有効性及び安全性の確保等に関する法律」が正式名称の、以下に挙げる商品に関わる法律です。結論としては、**薬機法の規制対象となる商品を輸入販売することは原則的に不可能**です。薬機法規制対象商品は、個人使用のために輸入できるものもありますが、販売することは違法です。共同購入もできません。

　Amazonなどで海外のサプリメントも販売されていますが、これは海外法人を設立するなど、直送により個人で買える状態を作り出しているためです。薬機法のハードルを越えてこのような状態を作り出すことはかなり難しいので

基本的には避けてください。

薬機法に関わる商品

▶ 健康食品（サプリメントなど）

▶ 化粧品

▶ 医薬品

▶ 医薬部外品

▶ 医療機器（家庭用マッサージ器、家庭用低周波治療器、体温計、血圧計、コンタクトレンズなど）

▶ 石けん、シャンプー、リンス

▶ 歯磨き粉

▶ 染毛剤

▶ 浴用剤

⚠ 消費生活用製品安全法（PSC）

消費者の生命や身体に対する危害を未然に防ぐために定められたのが**「消費生活用製品安全法」**です。**図3-30**に示す商品は**「PSCマーク」**の表示が義務づけられており、PSEマークに似た菱形のマークと丸形のマークがあり、手続きの流れもPSE法に似ています。

図3-30　2つのPSCマークと対象例

PSC（菱形）	PSC（丸形）
特別特定製品	**特別特定製品以外の特定製品**
・ベビーベッド ・レーザーポインタ ・レーザー光を放出する玩具 ・ジェットバス ・使い捨て式ライター ・多目的ライター	・家庭用の圧力鍋および圧力釜 ・乗車用ヘルメット ・ザイル ・石油給湯器 ・石油風呂釜 ・石油ストーブ
適合性検査が必要	**適合性検査は不要**

違反した場合は、1年以下の懲役もしくは100万円以下の罰金となります。PSE法、電波法、食品衛生法、薬機法に比べればあまり知られていませんが、対象となる商品を輸入する際は、各地域の経済産業局やミプロに相談しながら進めてください。各々の商品すべてがPSC対象というわけではなく、対象外となる条件があるので、よく確認することが必要になります。

3 8 クラファン開始前に 商標登録したほうがいい?

すでに売れている商品や有名な商品であれば、商標登録は検討したほうがいいです。ブランド名や商品名の独占ができますし、Amazon販売では相乗りリスク軽減やストア構築などさまざまなメリットがあります。しかし、はじめて市場に出す段階であるクラウドファンディングでは、商標登録する意味はあまりありません。クラファンで大きな支援が集まり、一般販売でも継続的に売れるようであれば商標登録を検討するといいでしょう。

もっとも、**商標登録はあとにするとしても、出品しようと思っている商品のブランド名や商品名が商標をとっているかどうかは確認するようにしてください。**海外で販売するには問題なかったとしても、日本で同一のブランド名や商品名があれば名称を変えないといけない場合もあります。海外商品の場合、単純な名前をつけていることが多いため、たまに商標登録されている名称とかぶることがあります。この場合は、メーカーに「名称を変えてください」と交渉する必要が出てきます。ブランド名や商品名の商標登録の有無は、特許情報プラットフォーム**「J-PlatPat」**で検索して確認してください（**図3-31**）。

図3-31　J-PlatPat で登録済みの商標を調べる

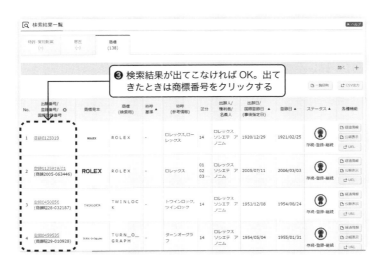

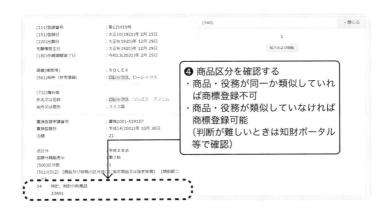

　たとえば「ロレックス」は時計の商標なので、他社がロレックスという名前の時計を勝手に販売することはできません。同じ商品ジャンル（商品・役務）であれば商標登録はできませんが、違う商品ジャンルであれば商標登録できる可能性があります。たとえばロレックスという名前の空気清浄機であれば商標登録できます。ただし、一見違う商品ジャンルでも「類似商品・役務」と判断されれば商標登録できない場合があります。たとえば書籍と新聞、宝石箱と家具は類似と判断され、この場合は商標登録ができません。

また、商標はまったく同じ名前を登録できないのはもちろん、似た名前で
も登録できないことがあります。たとえば「ロレックス」「ROLEX」であれば、
「ロラックス」「LOREX」「R0LEX（英語のOと数字の0）」といった名称の時計
は商標登録できない可能性が高いです。また、呼び方が違っても意味合いが同
じで商標登録できない場合もあります。たとえば「お化け」と「幽霊」、「サラ
リーマン」と「会社員」のようなものです。

　J-PlatPatでも上記のことを細かく検索する機能はありますが、ややこしい
ケースもあります。判断に悩むようであれば、特許庁の**「知財ポータル」**でお
住まいの地域の相談窓口を探し、無料相談を受けて確認するようにしてくださ
い（**図3-32**）。

図3-32　知財ポータル

3 9　月にどれくらいリサーチして メーカーに打診するか？

　ここまで、商品リサーチや商品選定の方法をお伝えしてきましたが、物販
クラファンを始めたばかりのころは経験が少ないので、「よい商品、よいメー
カーを狙い撃ち」というのは難しいところがあります。つまり、ある程度は
メーカーに打診する数をこなすことが必須になります。

　もちろん、生産能力に不安のあるメーカーや、どう考えても成功しない商品
にアプローチするのは避けなければいけません。そのため、本章でお伝えした
商品選びの判断材料をもとに、カテゴリーや達成支援額、商品単価など、ご自
分で基準を設けてください。その基準を上回るメーカーには積極的に打診しま
しょう。

目安としては、おおむね月50社以上のメーカーに打診している方は、早く結果を出している傾向があります。 最初は狙いを絞りすぎずに、なるべく多くのメーカーに打診することを心がけてください。

経験を積むことが大切なので、最初に起案するクラファンはある意味で練習です。初回から1,000万円の支援を超えることもないことはないですが、まずは100〜200万円を目指してみましょう。それでも利益率を30％とすれば利益は30〜60万円になります。2回目以降は理解度が増し、初回プロジェクトの反省点を活かすこともできます。作業効率が上がりますし、2回目は300万円、3回目は500万円と、段階的に高い支援金額を目指せます。

初回から完璧なプロジェクトの実行はほぼ不可能なので60点くらいで前進しましょう。特にメーカーに打診するだけなら失うものは何もありません。交渉難易度が高そうなメーカーでも打診してみないとわからないところがあるので、ダメもとでアタックしてみましょう。

もっとも、狙いを広く商品リサーチして、数多くのメーカーに打診するのは最初だけにするべきです。最初は仕方ないものの、浅く広くリサーチを続けても作業量を減らせないので非効率です。徐々に作業効率を上げていくことが重要です。

物販クラファンは、クラファンで単発の利益を繰り返すことが最終目標ではありません。一般販売を含めた継続的なビジネスを構築するのが目標ですから、長期的な関係を継続できるメーカーが理想です。そのため、ご自分の実績を増やしながら注力したいメーカーを絞り込んでいくようにしましょう。

Chap.
3

リサーチで見つけた商品が日本のAmazonで販売されており、確認したら並行輸入品でした。クラファンに出品できないでしょうか？

 基本的には出品可能ですが、クラファンサイトの判断に委ねられます。

解説 　並行輸入品とは、海外メーカーの日本法人や輸入販売契約を結んだ正規代理店以外の業者が輸入・販売しているものを指します。並行輸入品はAmazonの無在庫転売などでよく見られます。

　この場合、海外メーカーに確認して日本の正規代理店がなく、並行輸入品のみの流通であれば基本的にクラファンサイトに出品可能です。しかし認知度が高い並行輸入品などで、クラファンサイト側が「日本未発売とはいえない」「新規性がない」と判断したら出品できません。クラファンサイト側に確認してみてください。

 リサーチで見つけた商品と機能がよく似た商品がAmazonや楽天で安く販売されています。日本でヒットするでしょうか？

 1つでも新しい要素があればヒットする可能性があるので出品してみましょう。

解説 　機能やコンセプトが似た商品がすでにAmazonや楽天で安く販売されていると、「無理かもしれない」と思いがちです。しかし、クラファンは「はじめての商品」を前提としており、Amazonや楽天のような既製品と価格比較ができないサイト設計です。そのため、クラファンの支援者は類似の商品をほかのサイトで探すようなことはせず、商品ページ（LP）だけを見て買う・買わないを判断します。

　機能や素材面などで1つでも既製品にはない新しさがあれば、ヒットする可能性は十分あります。やってみなければわかりませんし、クラファンは失うものはないので、とりあえず出品してみましょう。

独占契約獲得のための
メーカー交渉の極意

交渉例文、契約書を大公開

独占契約獲得のための
メーカー交渉の極意
交渉例文、契約書を大公開

商品リサーチをしたら、よい商品を作っているメーカーに次々と打診します。やみくもに打診するのではなく、日本でクラファンをするメリットを正確に伝えながらアプローチしましょう。本章では「メール交渉例文」や「独占販売契約書」を公開しつつ、独占契約獲得法や交渉を有利に進める詰めの交渉術をお伝えします。

4 1 海外メーカーの
交渉窓口の探し方

　まずは海外メーカーの交渉窓口の探し方です。商品が見つかってすぐにメールしてもいいですし、何件かリサーチしてからまとめてメールしてもOKです。どちらにしても、日本で売れそうなよい新商品が見つかったら積極的にメーカーにメールしましょう。

① Kickstarterでメーカー窓口を見つける手順

　まずはKickstarterで見つけた商品を生産しているメーカーの窓口を見つける方法です（**図4-1**）。

図 4-1　Kickstarter でメーカー窓口を見つける手順

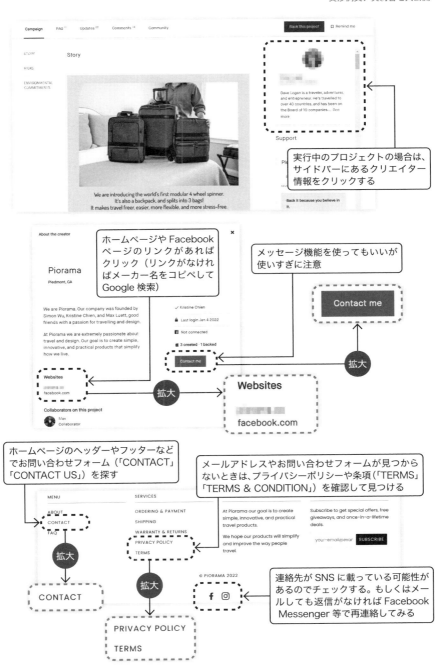

実行中のプロジェクトの場合は、サイドバーにあるクリエイター情報をクリックする

ホームページや Facebook ページのリンクがあればクリック（リンクがなければメーカー名をコピペして Google 検索）

メッセージ機能を使ってもいいが使いすぎに注意

ホームページのヘッダーやフッターなどでお問い合わせフォーム（「CONTACT」「CONTACT US」）を探す

メールアドレスやお問い合わせフォームが見つからないときは、プライバシーポリシーや条項（「TERMS」「TERMS & CONDITION」）を確認して見つける

連絡先が SNS に載っている可能性があるのでチェックする。もしくはメールしても返信がなければ Facebook Messenger 等で再連絡してみる

よいと思った商品ページの「About the creator」からホームページや Facebookページのリンクが見つかります。もしくはKickstarterのメッセージ機能（「Contact me」と書かれたお問い合わせボタン）から連絡してもいいでしょう。

しかし、あまり多くのメーカーに対してメッセージ機能を使うとスパム判定を受けてメッセージ機能が使えなくなってしまうので注意してください。もしホームページやSNSが見つからない場合は、メーカー名でGoogle検索しましょう。

まれにホームページが見つかっても、メールアドレスやお問い合わせフォームなどの連絡先が見つからないことがあります。その場合はプライバシーポリシーやTERMS（条項）、SNSなどをチェックすれば連絡先が見つかることが多いです。

なお、ホームページ掲載のメールアドレスとSNSに掲載されているメールアドレスが違うことがあります。その場合は、どちらかにメールを送り、返信がなければ別のメールアドレスに送ってみてください。

(!) INDIEGOGOでメーカー窓口を見つける手順

INDIEGOGOでメーカー窓口を見つける方法は**図4-2**のとおりです。メーカーのホームページやSNSを探し出して、そこからメーカー窓口を見つけるようにしてください。

図 4-2　INDIEGOGO でメーカー窓口を見つける手順

起案者名にカーソルを合わせるとホーム
ページや SNS が見つかる。見つからなけ
れば「View full profile」をクリックして
プロフィール欄へ

プロフィール欄のホームページや
SNS へのリンク

⚠ 連絡先が見つからなくても簡単に諦めない

　上記の方法でも、なかなか海外メーカーのホームページやSNSが見つから
ず連絡先がわからないこともまれにあります。連絡先がわからなくても、すぐ
に諦めないようにしましょう。連絡先が見つかりづらいメーカーは、ほかの多
くのライバルセラーも諦めているからです。そのため、**根気よく連絡先を見つ
けてメールすれば独占契約を獲得できる確率は高くなります。**

　実際に、これで独占契約を獲得した私のクライアントも少なくありません。

105

クラファンサイト内にホームページやSNSがなければGoogle検索で探してみるなど、さまざまな方法を試してみてください。

4 2 ファーストメールを送るときの 8つの原理原則

メーカーに送るメール交渉例文を説明する前に、ファーストメールを送る際の原理原則をお伝えします。ファーストメールを送るときは、交渉例文をコピペするだけでなく、どのようにメールすればメーカーに興味を持ってもらえるか理解したうえで送ってください。

⚠ 日本でクラファンをするメリットを正確に伝える

メーカーとの交渉では、メーカー側のニーズやクラファンを実施することのメーカー側のメリットを理解しておくことが必須です。メーカー側のメリットを理解しているか否かで、独占契約の獲得率は大きく変わってきます。

まず私たちがすることはクラファンの提案ですが、メーカーは日本でクラファンを実施したいとは考えていません。メーカーは日本で商品を継続的にたくさん販売したいと考えています。単発でクラファンを実施することがゴールではなく、あくまでスタートなのです。ですから、「クラファンで爆発的に売れますよ」といっても、ほぼ相手にされません。**メーカーが日本でクラファンを実施するとすれば、その目的は「PR」「テストマーケティング」の2点**です。そのため以下のニュアンスでクラファンを持ちかけます。

> **御社の商品は素晴らしいですがまだ日本で販売した実績がないので、弊社としても多くの在庫を持つリスクは冒せません。そのため「PR」と「テストマーケティング」を兼ねて日本でのクラファンを実施させていただきたいです。**

クラファンに興味を持ってもらえたら、無在庫でリスクなく実施するために「初回のMOQ（Minimum Order Quantity：発注可能な最低数量。最小ロット数）＝クラファンの支援数」を持ちかけます（詳細は⇒P.128）。そうすれば、お互いリスクを負うことなくWin-Winの関係でプロジェクトを実行でき

106

ることが伝わります。

　もちろん、クラファンの結果「一般販売なし」と判断することもあります。しかし、それはテストマーケティングの結果、日本で売れないと判断できたということなので無駄ではありません。**クラファン後の展開がどうなってもメーカーにとってはリスクがないことを伝えながら、一般販売を前提として交渉を進めましょう。**

(!) 自分と取引するメリットも伝える

　メーカーには、日本でクラファンをするメリットはもちろんのこと、自分と取引するメリットも伝えてください。海外クラファンで多額の支援を集めたメーカーほど、ライバルセラーがあなたと同様のアプローチをしている可能性があります。

　自分の強みを話し、強みがメーカーにどんなメリットをもたらすか伝えることで選ばれやすくなります。具体的には、自分のこれまでの実績、クラファン後の販路、PRが得意、などです。まだ実績がない物販初心者の方は、クラファンのプランや予定している販路などロードマップを伝えてください。

(!) 最初からクラファンを持ちかけなくてもいい

　メーカーにとっては日本で長く販売してくれるパートナーが理想で、クラファンだけで終わるパートナーは求めていません。そのため、最初からクラファンを持ちかけず、「日本での販売に興味はないですか？」とファーストメールを送るのもありです。その後、返信をくれたメーカーに「認知拡大のためにクラファンはどうですか？」と持ちかけるのです。

　この方法は**初回からクラファンを持ちかけるより一手間増えるデメリットがありますが、メールの返信率は上がります。**商品に対する期待値が高い場合ほど、この方法をとるといいでしょう。

(!) 簡潔明瞭なビジネス英文を送る

　メールの言語は、どの国のメーカーに対しても英語で問題ありません。**Google翻訳**や**DeepL翻訳**などの翻訳サイトの精度も上がっているので（**図4-3**、**図4-4**）、最初のうちは翻訳サイトを使っても大丈夫ですが、将来的には専属の翻訳スタッフに外注するのがおすすめです（⇒P.308）。

107

図 4-3　Google 翻訳

図 4-4　DeepL 翻訳

　意識してほしいのは簡潔明瞭なビジネス英語を使用することです。海外メーカーに長く細かいメールを送っても読まれない可能性があります。もちろん、「素晴らしい商品だと思います」「将来は展示会に出展したいです」といった情報はあったほうがいいです。しかし、要点がよくわからない、ダラダラした内容のメールは敬遠される傾向にあります。最初のメールは、とにかく返信をもらうことが大切なので、短く簡潔に要望をはっきりと伝えるようにしましょう。

ⓘ 決裁権を持っているとアピールする

　メールのフッターに載せる会社情報のところに**「社長兼最高経営責任者（President ＆ Chief Executive Officer）」**と肩書きを入れるなど、決裁権をアピールしましょう。メーカーは決裁権のある人と直接話をしたいからです。

ただし、個人事業主の方は法人と偽った肩書きを使うことはやめましょう。長く付き合うことになれば、いずれ必ずバレます。

⚠ 同じカテゴリーの商品を扱う 別メーカーにも打診する

メーカーとの交渉によって１件独占契約を獲得できたら、派生的に同じカテゴリーの別メーカーの商品をリサーチして、よい商品があればアプローチするといいでしょう。たとえば家具を扱っているメーカーと独占契約を結んだら、類似の家具を扱っている別のメーカーにもアプローチするのです。自分のなかで得意ジャンルができることに加え、メーカーにも専門店と思われて信頼を得られるためです。以下のように持ちかけてみましょう。取引が決まる確率が上がります。

Chap.
4

弊社は○○を扱っており、□□社とすでに取引をしております。御社の商品も取り扱わせていただけないでしょうか?

⚠ 熱意や愛情を示す

長くダラダラとした文章ではなく、簡潔明瞭なビジネス文章を心がけるべきですが、商品への愛情や熱意は伝えるようにしましょう。「私は、○○は今までの世のなかにない素晴らしい製品だと感動しました!」「なによりも私は、御社の○○を非常に気に入っています。○○を日本に紹介したいと強く想っています」など簡潔な文章でかまいません。**単に「日本でも売れます」ということだけではなく、自分自身が商品を気に入っているという点をアピールしましょう。**

⚠ 多少ビッグマウスなくらいがちょうどいい

事業用ホームページの会社概要の記載と同じく、実績をお持ちならメールでもアピールしましょう。「弊社では、日本で有力なクラウドファンディングサイトでプロジェクトを実施しており、何度もサクセスさせている実績があります」など簡単でかまいません。

109

はじめての場合はクラファン実績を載せることができないので、将来のビジョンや計画、Amazon物販などの実績を入れるといいでしょう。**「無事に御社の商品がサクセスした場合には、ギフトショーや展示会への出展も予定しています」とメールしても嘘ではありません。** 多少ビッグマウスになっても夢や将来性のある話をしてください。逆に、初心者であることや、「至らぬこともあると思いますが」など自信がないような表現は逆効果です。海外メーカーは強気な姿勢で交渉してくることも多いので、自信なさげな態度を見せるのではなく堂々と接しましょう。

4 3 パターン別 初回交渉メール例文

　初回の交渉メールおよびメールフッターには、**図4-5**の情報を英語で書きます。

図4-5　初回メールで書くべき情報

メール内容	メールフッター情報
・自己紹介 ・御社の商品に興味がある ・日本の同カテゴリーの市場の状況を伝える 　（〇〇なので、御社の商品は日本で人気が 　出ます、など） ・クラウドファンディングのメリット ・自社の保有する販路など	・会社名（屋号） ・名前 ・メールアドレス ・住所 ・コーポレートサイトURL ※可能なら「Sales Manager」「CEO」など 　決裁権を持つ肩書を入れる

　以下に私が実際に使っているファーストコンタクト交渉文を紹介します。そのまま使用してもいいですが、まったく同じような交渉文がいくつも届くとメーカーもテンプレと見抜くので成約率が著しく下がります。また、例文のなかにはご自分に当てはまらないところもあるでしょう。せっかくのチャンスを無駄にしないためにも、ご自分の状況、メーカーの状況に合わせてカスタマイズしてお使いください。

❗ 最初からクラファンに触れる場合の初回メール例文

英語	日本語
件名：Inquiry for 商品名 Dear, メーカー名 I'm △△, the president of xxx Inc.	xxxの代表、△△と申します。
We sell the attractive products around the world which are not recognized well in Japanese market in corporation with its manufacturers.	弊社は、日本でまだ広まっていない魅力のある海外製品を海外メーカーとともに日本で販売しています。
We have a wide variety of sales channel, for example, big retail chains, wholesale shops, retail shops, EC sites and so on.	弊社の販売先は、大手量販店や卸業、小売店、ECと多岐にわたります。
Now, we are deeply interested in ○○ you post at Kickstarter, the crowd-funding site. I am so impressed by your ○○!	現在、御社がクラウドファンディングサイトKickstarterにて資金のサポートを募集している○○に強い興味を抱き、連絡させていただきました！
I think it is a wonderful product we've never seen before in the world.	私は、○○は今までの世のなかにない素晴らしい製品だと感動しました。
We also have posted the projects at the crowd-funding sites in Japan and got success there for many times.	弊社では、日本で有力なクラウドファンディングサイトへのプロジェクトの掲載もしており、何度もサクセスさせている実績があります。

Recently, crowd-funding services have been cognized gradually in Japan. We can get success on the campaigns greatly easier than before. We assess it's in very good condition to join them.

We are sure that your ○○ can get success on the crowd-funding sites in Japan with overwhelming probability. Are you interested to post on them？ We will do the best support for your products.

Specifically, we will post your products on the crowd-funding sites, do after-purchase servicing, customer care etc. When the project can get success, we will post your products on gift show and exhibitions in Japan.

Though I ask you now as business, as a matter of fact, I'm so interested in your products personally. We earnestly wish to introduce your ○○ in Japan.

We are eager to cooperate and support your business！

We hope your positive reply！！

Thank you,

そして今、日本では以前に比べてクラウドファンディングの認知度が上がり、圧倒的にサクセスしやすくなっており、非常によい状況です。

御社の○○でしたら、かなりの確率でサクセスすると思いますが、日本のクラウドファンディングサイトへの掲載に興味はございますか？　興味があれば弊社が全力でサポートさせていただきます。

具体的には、日本のクラウドファンディングサイトへの出品や日本の顧客対応、サポートです。無事に御社の商品がサクセスした場合は、ギフトショーや展示会への出展も予定しています。

もちろん、ビジネスとして連絡していますが、なによりも私は、御社の○○を非常に気に入っています。○○を日本に紹介したいと強く想っています。

ぜひ、あなたたちのビジネスを手伝わせてください！

よいお返事をお待ちしています！

⚠ 最初はクラファンに触れない場合の初回メール例文

　1通目ではクラファンのことに触れず、日本での販売をサポートできる旨を伝えます。そして返信があれば2通目でクラウドファンディングの話をするという流れです。そのため、このパターンは2通セットで考えるといいでしょう。

■ 1通目

英語	日本語
件名：Inquiry for 商品名 Hello, I'm △△, CEO of xxx.	xxxの代表、△△と申します。
We are selling very attractive products from abroad which has not gained recognition in Japanese market yet, in cooperation with the manufacturers of them.	弊社は、日本ではまだ認知されていない海外の魅力的な商品を、そのメーカーと協力して販売しています。
Now, we found your products ○○ has launched on Kickstarter to gain support and funding for mass production. And we have taken very strong interested in your product.	このたび、御社の製品○○がKickstarterで量産化のための支援と資金調達を開始したことを知りました。そして、弊社は御社製品に強い関心を持ちました。
I regard that your ○○ is impressively excellent product which is unlike anything someone has ever seen before！	御社の○○は、これまでに見たことのないような素晴らしい製品だと思います！

Chap.
4

Would you like to collaborate with us if you are interested in expanding your products into Japanese market ?

日本市場への進出をお考えでしたら、ぜひ弊社に協力させていただけませんか？

Our company has many kinds of sales channels in Japan such as major retail chain stores, retails stores, EC stores. Also, we have many experiences to exhibit many kinds of products from abroad on big gift shows and exhibitions in Japan. Therefore, we can support you to expand your products into Japanese market effectively.

弊社は、大手小売チェーン店、小売店、ECショップなど、さまざまな販売チャネルを持っています。また、海外の製品を日本の大きなギフトショーや展示会に出展した経験もあります。そのため、御社製品を日本市場に効果的に展開するためのサポートができます。

As you know, most of Japanese consumers require quite high level of services such as quality of the products, after-sales services, and others.

ご存じのように、日本の消費者の多くは、商品の品質やアフターサービスなど、かなり高いレベルのサービスを求めています。

We can understand their demands because the members of our company are Japanese. Therefore, you can make your mind ease and count on us to do after-sales services to Japanese customers.

弊社のメンバーは日本人ですから、その要求を理解できます。ですから、安心して日本のお客様へのアフターサービスをお任せください。

Of course, I contact you this time as a business. But I, myself, am interested in your ○○ so much.

もちろん、今回はビジネスとしてご連絡しました。しかし、私自身、御社の○○に非常に興味があります。

I strongly hope to introduce your ○○ in Japanese market.	御社の○○を日本市場に広めていきたいと強く想っています。
Please let us support your business expansion into Japanese market！	御社の日本市場へのビジネス進出をぜひサポートさせてください！
We would greatly appreciate if you can give our proposal a good review.	この提案を前向きにご検討いただけると非常に幸いです。
I hope to hear from you soon.	ご連絡をお待ちしています。
Sincerely, △△	

■ 2通目

英語	日本語
件名：Re：Inquiry for 商品名	
Hi □□,	
We appreciate your reply.	ご返信をいただきありがとうございます。
I'm looking forward to working with you！	御社と一緒に仕事ができることを楽しみにしています！
As the first step to expand and sell your ○○ into Japanese market, we suggest to launch crowdfunding campaigns in Japan.	日本市場で○○の販売拡大のための最初のステップとして、日本でのクラウドファンディングの実施を提案します。
We have two reasons for this.	これには２つの理由があります。

First, crowdfunding campaigns have a positive impact on future sales strategies. There are three major crowdfunding platforms in Japan domestically. (Makuake, CAMPFIRE, GREEN FUNDING) These platforms have large numbers of subscribers.

Therefore, we can get recognition from many of Japanese consumers if we launch campaigns on these platforms.

We have experienced dozens of times launching crowdfunding campaigns on these platforms. And we have gotten success of all.

(On another note, you cannot have a good influence when you launch campaigns on other platforms in Japan than these 3 platforms. Because others have much lower subscribers.)

Second, nowadays, in Japan, the crowdfunding business has gained more recognition than before and expanded their membership. It means the campaigns have been able to get success more and more.

第1に、クラウドファンディングは今後の販売戦略にプラスの影響を与えます。日本国内には３つの主要なクラウドファンディングプラットフォームがあります（Makuake、CAMPFIRE、GREEN FUNDING）。これらのプラットフォームには多くの登録者がいます。

そのため、これらのプラットフォームでキャンペーンを行えば、日本の多くの消費者に認知してもらうことができます。

弊社は、これらのプラットフォームでクラウドファンディングを何十回も経験しています。そして、すべてで成功を手にすることができました。

（ちなみに、この３つのプラットフォーム以外の日本のプラットフォームでキャンペーンを行っても、よい影響を与えることはできません。なぜなら、ほかのプラットフォームは登録者数が格段に少ないからです）

第2に、現在、日本ではクラウドファンディングビジネスが以前よりも認知され、会員数が拡大していることです。つまり、キャンペーンがどんどん成功するようになってきたということです。弊社は、クラウドファンディングのキャンペーンの状況は非常によいと考えています。

We regard that the condition of crowdfunding campaigns has been quite good.	
We definitely believe your ○○ can get success on crowdfunding campaigns to gain momentum to entry to Japan.	御社の○○は、クラウドファンディングを成功させて、日本進出に弾みをつけることができると信じています。
We will do our best to launch crowdfunding campaigns for expanding your ○○ into Japanese market！	弊社は、御社の○○が日本市場に進出するためのクラウドファンディングに全力で取り組んでいきます！
We appreciate your cooperation.	なにとぞよろしくお願いいたします。
Best Regards,	

4 4 メーカーへのアプローチはどれくらい粘ればいいか？

　パターン別に初回のメール文章を紹介しましたが、1回で返信があることはまれです。諦めずに2回、3回、4回と何度もメールを送ってください。だいたい3営業日くらいの間隔が目安です。しつこいと思われるのが嫌でメールを躊躇していたら独占契約の獲得はありません。

　なお、本書では詳細は省きますが、英語力に自信のある方や通訳を外注している方は、メーカーに電話するのもいいでしょう。「何回かメールしたのですが、ご確認いただけましたか？」という形であれば電話しやすいと思います。

ⓘ 返信があるまで最低7回メールする

　メール送信の目安は返信があるまで最低7回です。7回の根拠は、何度も繰り返し接触機会を持つことにより親近感を得て、相手方の購買意欲を高めると

いうザイオンス効果です。「7回接触すると購入する可能性が高い」といわれます（セブンヒッツ理論）。

　実際にメーカーとの取引成立を次々と実現している私のクライアントは、返信があるまで4〜7回ほど繰り返しメールをしています。**月50社にアプローチするなら、50社×4〜7回＝月200〜350通**です。特に物販クラファンがはじめての方は並行して進めているプロジェクトがないわけですから、繰り返しメールすること1点に集中して行動してください。この方法で、私のクライアントは1カ月で平均2社と独占契約を結んでいます。早い人は1週間で独占契約を獲得できるので粘り強くメールしましょう。

① 交渉の窓口を変えて打診する

　繰り返しメールする際、交渉の窓口を変えて打診するのも有効です。普段メーカー担当者が使用していないメールアドレスにメールを送ってしまっていることも考えられるからです。連絡先を変えてみることで、決裁権のある担当者に直接連絡できる可能性も高くなります。ホームページとFacebookやInstagramでメールアドレスが違うのであれば、送信先を変えてみるといいでしょう。

　メールだけでなく、Facebookページからメッセージしたり、TwitterやInstagramのDMからメッセージしてみたりと、いろいろ試してください。

① 同じ内容のメールは2回まで。 3回目以降は文章を変える

　交渉メールを7回送るといっても、7回とも同じメールを送るわけではありません。2回目以降もずっと同じ内容のメールではメーカーによい印象を与えることができず、ザイオンス効果は働かないので返信率は低いです。**目安としては、2回目までは同じ文章でよいですが、3回目以降は必ず文章を変えてください。**たとえば文章の長さを変えてみたり、より深く商品情報にアプローチしてみたり、今後の展望を追加してみたり……。内容を変化させてメーカーにテンプレ感を与えないようにしてください。たとえば、**図4-6**のように内容を変えていきます。

　この一連の流れについては、自分なりのテンプレートを作成するつもりで取り組んでください。メーカーへの打診を繰り返すことでブラッシュアップされて、いくつかパターン別のテンプレートができるようになります。目安としては10通りほどテンプレートができると打診作業がかなり楽になりますし、外注化する際も指示がしやすくなります。

図4-6 メールの内容を変化させる

1回目	初回メール例文を参考にメールを作成
2回目	1回目と同じ内容でOK（タイトルだけは変える）
3回目	少し内容を変える
4回目	3回目の内容を少し変える（雑談のような話題も有効）
5回目	4回目の内容を少し変える
6回目	簡単なセールスプランを記した資料を添付（⇒P.121）
7回目	マーケティングプランを添付（⇒P.121）

① メーカー打診の数は 商品に対する期待値で変えてもいい

　返信があるまで最低7回はメールを送るといっても、どのメーカーに対しても同じようにメールを送るのは負担が大きいです。商品に対する期待値でメールの回数や内容を変えてもいいでしょう。

　たとえば「どうしてもこの商品を日本で売りたい」というものであれば、これまでに説明した頻度でメールを送り、簡単に資料も作成して添付します。しかし、「とりあえず手当たり次第打診してみた」「そこまで売れる自信がない」という商品には少し負担が大きい回数です。この場合は、少し内容を変えたくらいのメールを3回ほど送って返信がなければ諦めてもいいでしょう。商品に対する期待値でメリハリをつけるようにすると作業効率がアップします。

- -

4 5 メーカーとの交渉テクニック、失敗しない質問回答例

- -

　メーカーから返信があれば本格的に交渉スタートとなります。ここでは、メールやWebミーティングでの交渉テクニック、またメーカー側からよく出てくる質問とその回答例をお伝えします。

① メールの返事は24時間以内、Webミーティングは必ず引き受ける

　メーカーからの返信に対しては、なるべくすぐにレスポンスしてください。**目安は24時間**です。数日経ってから返信するようではメーカーに熱意が伝わ

Chap.
4

らず、お互いモチベーションが下がって成約率が下がります。

　メーカー担当者の返信が遅い場合も注意してください。物販クラファンで避けるべきトラブルの1つに商品遅延があります。私の経験上、**納期を守らないメーカーは総じて返信が遅いなど対応がイマイチ**です。このようなメーカーとは長くビジネスを続けるのは難しいので、いつも極端に返信が遅いなどであれば交渉をストップする判断も必要です。

　交渉がスタートしたら、やりとりにスピード感を出すためにメーカー担当者をチャットに誘導してもいいでしょう。お互いの返信スピードが上がります。代表的なチャットアプリは以下ですが、国によってメインで使用しているアプリが違うので、相手方の使用しているチャットアプリを確認するようにしましょう。もっとも、対応の悪いメーカーはチャットに切り替えても返信は遅いままです。

- ▶ WhatsApp
- ▶ WeChat
- ▶ Facebook Messenger
- ▶ LINE

　また、途中から**「Zoom」「Skype」「Google Meet」**などを使ってWebミーティングを依頼されることもあります。「英語が話せないから無理」と断ってしまっては大きなチャンスを逃してしまいます。通訳の外注スタッフに同席してもらえば大丈夫なので、必ず引き受けるようにしてください（外注に関しては⇒P.296）。私は中学1年生レベルの英語も怪しいものですが、通訳スタッフの力を借りて問題なくこなしています。交渉が進み、大詰めになってきたら一度Webミーティングを開催したほうがスムーズです。**英語によるミーティングは最初こそ緊張するかもしれませんが、やってみると拍子抜けするほどなので心配はいりません。**

⚠ メール1通に対して質問は1 〜 2個にとどめる

　1通のメールに6つも7つも質問をまとめてメーカーに送ることは、質問をスルーされたり返信率が落ちたりするのでおすすめしません。基本的には1回のメールで1 〜 2個くらいの質問にしておいたほうが円滑なコミュニケーションができます。何度もやりとりすることで、ザイオンス効果も期待できます。

① Webミーティングでは プランがわかる資料を用意する

Webミーティングの場では、最初に以下のようなことをメーカーから聞かれます。一部は事業用ホームページ（⇒P.49）にも記載する内容ですが、もう一度伝えるつもりでわかりやすく説明しましょう。

> ▶ 会社概要（事業概要）
> ▶ 売上や年商（物販経験者のみ）
> ▶ 今までの実績（物販経験者のみ。クラファン以外の実績も含む）
> ▶ 自社の取扱商品、得意分野（物販経験者のみ）
> ▶ 保有する販路（物販初心者は今後の計画を示す）
> ▶ その商品を選んだ理由
> ▶ 取引するメリット
> ▶ 今後の計画やビジョンを示したロードマップ
> ▶ マーケティングプラン

最後のマーケティングプランは、**図4-7**のように週単位でセールスのスケジュールをまとめたもので、具体的な計画を示すことでメーカーの信頼を得やすくなります。

図 4-7　マーケティングプランの例

1月1週目	商品ページ（LP）作成
1月3週目	商品ページ最終チェック
1月4週目	プロジェクトスタート
2月1週目	プロジェクト広報活動（プロジェクト期間中の集客⇒P.240）
2月3週目	一般販売に向けて準備開始
2月4週目	プロジェクト終了、商品発注
3月2週目	支援者への配送完了
3月3週目	実店舗、自社ECサイトなどで一般販売開始

プランがわかる資料は、事前にスライド資料を準備して、画面共有しながらプレゼンすることをおすすめします。こちらの準備したスライドを使うことで

ミーティングの主導権を握ることができますし、メーカーに好印象を与えることもできます。

　スライドは、**「Canva」**などを使えば簡単に作成できます（**図4-8**）。上記の内容を、あまり文章を詰め込まずに箇条書きなどで簡潔に、フォント大きめで図も入れながら資料化してください。一度作ってしまえば、あとは「商品を選んだ理由」を変えたり、実績を追加したりするだけなのでかなり楽です。

図4-8　Canva

① 「同じオファーが日本から何通も来ている」といわれたら？

　メーカーに交渉メールを送ると、「同様のオファーメールが日本から何通も来ている」と返ってくることがあります。これは、メーカーからのよくある返信の1つです。とはいえ、メールを無視されるよりは独占契約を獲得できる可能性があるので諦めずに交渉を進めていきましょう。なぜなら、**本当に日本から同様のオファーが届いている場合もありますが、メーカーが交渉を有利に進めるためのハッタリである場合もある**からです。確認できることではないですが、本当にライバルセラーからオファーがいくつも届いていたとしてもやることは変わりません。

　メーカーが「日本から同様のオファーが来ている」というのであれば、メーカーの興味を引く交渉をする必要があります。ほかの日本人セラーとの差別化カードとして強力なのは以下の3つです。

　▶MOQ（最小ロット数）を多くする
　▶今までに多くのクラファン実績がある
　▶多くの店舗に卸す販路がある

ただ、これらは資金力やご自分の経験、実績の話なので、物販クラファン経験者向けのカードです。経験者の方は、この3つのカードで交渉を進めればいいのですが、物販クラファン初心者の方はそうはいきません。では、どうするかというと、「アプローチ回数を増やす（交渉量）」「1回の交渉を深くする（熱意）」で、交渉の質と量を高めるしかありません。

具体的には、**自分と取引するメリットを最大限に伝えていく**のです。テンプレ的に同じようなメール文章を出しても熱意は伝わりません。マーケティングプランを示したり、そのための資料を作ってみたり、メーカーの商品に合った提案をしてみたり……。あれこれ手を変えてメーカーにとってのメリットを訴えていくことが必要です。

行動の質と量が大きい人は取引できるメーカーが増えて、有利な交渉材料も増えるので、さらに強くなるという好循環を生みます。単なる根性論ではなく、資金力や実績以外の交渉材料を獲得するための話です。

私自身最初は何も交渉材料がありませんでしたし、ライバルも大勢いました。そのときは交渉メールをすごく考えていました。当時は物販クラファンのノウハウが確立していなかったので、1通の返信メールに5時間かけて悩んだこともあります。もちろん5時間もかけるようなことはおすすめしませんが、テンプレ的にメールを大量送信するよりは、この1通の成果のほうが大きかったと思います。

① メーカー側からのよくある質問

会社概要や今後のプランなど、メーカーから必ず聞かれるような質問に対する答えはあらかじめ用意しておきます。そのほか、メールでのやりとりが進んだりWebミーティングをする場合には、以下のような質問もよくメーカー側から出てきます。

私たちメーカー側は何をすればよいのでしょうか？

回答例
私たちは一般販売前のPRとテストマーケティングとしてクラウドファンディングの実施を予定しています。
ご存じと思いますが、クラウドファンディングを実施することで認知が高まり、より多くの販売が見込めます。

日本のクラウドファンディングは、日本以外のメーカーの商品を扱う場合、メーカーとの独占販売契約書をクラウドファンディングサイトに提出する必要があります。また、商品サンプルも必要です。
まずは、お互いのリスクを減らすためにも、短期の独占販売契約を結びましょう。具体的には、準備も含めてクラウドファンディングプロジェクト期間の6カ月でどうでしょうか?
無事にクラウドファンディングが成功したら契約を延長して、そのあとは日本中に御社の商品を広げていきましょう。

　この回答のポイントは、独占契約期間について示すことです。最初は興味を示してくれたメーカーでも、独占契約の話をした途端に拒否されることがたまにあります。**「まずはクラファン期間中だけ独占契約を結びましょう」なら拒否される確率を減らせます。**もっとも、1社にだけ販売を任せる独占契約はリスクが大きく嫌がるメーカーがあるのも事実です。期間を示しても無理ならばクラファンを起案できないので、諦めてほかのメーカーにアプローチする判断も必要です。

サポートの範囲はどの程度でしょうか?

回答例
日本での御社商品の販売、マーケティングはすべて請け負います。

　基本的にプロモーション、商品ページ作成などはクラファン起案者側がすべて行います。広告費や商品ページ作成の外注費も起案者負担となります。

サポートに費用はかかりますか?

回答例
私たちのサポートに費用は不要です。御社は、私たちに日本での販売権利と商品のご提供をお願いします。

コンサルティングや顧問契約ではありませんから、サポート費用は不要です。その旨を伝えたうえで、望んでいるのは独占契約であることを念押ししましょう。

あなたはどのような販路を持っていますか?

回答例

ECサイトでは「Amazon」「楽天市場」「Yahoo!ショッピング」「Qoo10」など。実店舗では「ハンズ」「ロフト」「ビックカメラ」「ヨドバシカメラ」「ドン・キホーテ」など大手チェーンの店舗とコネクションがあります。
クラウドファンディング後にはギフトショーに出展し、販路をさらに拡大する予定です。

すでに販路を持っている方、持っていない方、状況はさまざまですが、全員が上記のように伝えるべきです。大前提として、上記の回答は「計画」です。できる限り計画に沿って進行すればそれに越したことはありませんが、変更になることは日常茶飯事です。そして、クラファンがうまくいった場合は「結果的にやる」ことになる施策です。

「もしクラファンがうまくいかなかったら?」という心配もあると思いますが、そもそもメーカー側のクラファンの目的は「PRとテスト販売」です。日本のECサイトで売れそうになく、クラファン中に卸の引き合いや問い合わせもなければ「一般販売は難しそう」と伝えるしかありません。

そのため、**独占契約期間については、お互いに契約で縛られるデメリットを排除するために基本は6カ月をおすすめします。**うまくいかなければ契約を切れますし、うまくいけば契約延長です。経験上、クラファンがうまくいけば、ほぼ確実に契約延長となります。メーカーとしても新たに代理店を見つけるよりも、すでに実績があり信用できる相手と付き合いたいと考えるからです。

また、質問ではありませんが、以下のような返信を送ってくるメーカーもあります。

「今はKickstarterが終わって忙しいです。落ち着いたら連絡します」

ちょうど海外クラファン終了直後のリターン商品配送時の場合は、このような返信になることがあります。一方的に拒否されているわけではないので、メーカー側は前向きな気持ちであると思っていいです。

125

しかし、**素直にメーカーからの連絡を待っているだけではいけません。**ほかのライバルセラーからもアプローチがあるでしょうし、時間が経てばメーカーは確実にあなたから連絡があったことを忘れます。そうならないように定期的に自分から連絡してください。毎回同じメールではダメなので、少しずつ内容を変えつつ、カレンダーやリマインダーを使ってメーカーへの定期的な連絡を忘れないようにしましょう。

「自社で日本のクラファンサイトでプロジェクトを立ち上げます」

たまに自社で日本のクラファンに取り組もうとするメーカーもあります。もっとも、クラファン後に海外メーカーが直接日本で販路を持つのは難しさがあります。日本人の求める品質基準の対応、商習慣やカスタマーサービスなどの違いが大きいです。メーカーにこの点を伝え、「クラファン後の一般販売もサポートします」というように交渉を進めると、「それでは、やっぱりあなたにお願いします」となる可能性があります。もし日本進出に興味を持ちながら取引を迷っているメーカーがあれば、自分がサポートすることのメリットを伝えてください。また、海外で売れるポイントと日本で売れるポイントには違う点もあります。「日本人である私のほうが日本人に売れるポイントを知っているからPRは任せてください」と伝えるのもいいでしょう。

4 6 仕入価格とMOQ（最小ロット数）の交渉方法

メーカーと交渉して、クラファンに興味を持ってもらえたら、次は仕入価格やMOQ（Minimum Order Quantity：発注可能な最低数量。最小ロット数）の交渉をします。仕入価格もMOQも、妥協することなく目標値を目指して交渉していきましょう。

(!) 仕入価格の交渉方法

せどりや転売と違い、物販クラファンの場合は仕入価格を交渉し、販売価格を自分で決められますが、ある程度の基準があります。仕入価格の交渉のコツは大まかに2つあります。

▓ シンプルに「仕入価格はいくらですか？」と聞く

仕入価格は、販売価格をいくらにするかによって適正額が変わります。海外の販売価格は参考値として考えますが、あくまで目安です。理想的な仕入価格は、日本での販売価格の30％程度です。つまり、**日本販売価格は仕入価格の3倍を目安にします。**一方で、一般販売を意識した場合は、日本市場の相場から1.3倍以内の価格設定が目安になります（よい商品は1.3倍以上でも確実に売れるので、あくまで目安です）。

メーカーに仕入価格を交渉する際は、シンプルに**「仕入価格はいくらですか？」**とだけ聞くことがおすすめです。「上代（販売価格）の6～7掛けでお願いします」など、こちらから価格を提示することはおすすめしません。もしこちらの提示価格が高かったら安くする機会を失いますし、安すぎたらメーカーが興味を失う可能性があるからです。

つまり、仕入価格の交渉はメーカーからの見積もりをベースにするのです。**メーカー提示の仕入価格が、想定している日本販売価格の30％を上回るようであれば値下げの交渉をします。**一般販売の相場観や広告費、クラファン手数料、輸入送料、関税、輸入消費税などの費用が交渉材料になります。

概算で利益計算してみて仕入価格が高い場合は、「日本の販売価格は〇〇円くらいですから、仕入価格は△△円くらいにならないと厳しいです」と交渉してみてください。MOQや輸送方法の条件などで値下げされるかもしれません。なお、商品の価格設定と利益計算についてはChapter 5で詳しくお伝えします。

▓ メーカーが日本の販売価格を指定してきたら

基本的には、日本での販売価格はメーカーではなくこちらで決めます。輸入に関わる費用（海外送料、関税・消費税など）やリスク、カスタマーサービス、クレーム対応……。販売価格には、これら日本で販売するコストが含まれます。

しかし、メーカーの意向で「日本の販売価格は海外と同じにしてほしい」と指定してくることもあります。その場合、**こちらの利益が薄くなってしまうことが多くなるので、代わりに仕入価格を下げる交渉をしてください。**結果として仕入値が下がり、想定する利益率が担保できれば問題ありません。一方で、**仕入値が下がらず販売価格の融通もきかないなら、利益にならないビジネスをやる必要はありません。**

なかには「それでは無理ですね。ありがとうございました」と伝えると、「待った！ 仕入価格を考えさせてもらいます」と対応を変えてくるメーカーもあります。私たちはメーカーの下請けではなくビジネスパートナーですので、対等な付き合いができるメーカーが望ましいです。

127

⚠ MOQの交渉方法

　仕入価格と同様に大切なのがMOQの交渉です。MOQとは発注できる最低ロット数のことで、このMOQを下回る発注はできません。当然、MOQが大きければ在庫リスクが大きくなります。

■ 目指すのは「クラファンの支援数＝最初のMOQ」

　理想は「MOQなし」で、極限まで在庫リスクを最小限にとどめることですが、**クラファンの場合は、「クラファンの支援数＝最初のMOQ」とすれば在庫リスクをゼロにできます。**MOQの交渉は、この状態を目指しましょう。クラファンの支援数は、MakuakeやGREEN FUNDINGの類似商品や同カテゴリー商品の売れ行きから予測します。

　まずは「最初のMOQはどれくらいですか？」と、こちらからメーカーの回答を引き出しますが、提示されたMOQは参考値としてとらえてください。場合によっては $\frac{1}{10}$ 程度まで下がる場合もあるので、最初にメーカーが提示してくるMOQに驚かないことです。メーカーとしてはできるだけたくさん買ってほしいので、最初はMOQを多く提示してきます。最初に提示されたMOQが多すぎる場合は、その旨をしっかりと伝えましょう。

> **交渉例**
> 御社の商品は日本ではまだ知られていません。大量の在庫を積むのは弊社としてもリスクが大きいです。
> しかし私は御社の商品にほれ込んでおり、なんとしても日本市場に広めていきたいと考えています。
> そのため、PRとテストマーケティングを兼ねたクラウドファンディングを提案しています。
> 支援数を最初のMOQにしていただきたいのですが、いかがでしょうか？

■ 過度なリスクはとらないこと

　MOQの交渉では、明らかに仕入数が多すぎるのに、契約を焦って過度なリスクをとらないようにしてください。資金力がない場合は交渉に時間をかけて、場合によっては契約しないという選択肢も必要です。メーカーはいくらで

もありますから、条件の合うメーカーに出会えるまでいくつもアタックしましょう。

　極端な話をすると、今すぐ使える資金が1億円あれば、ほとんどの海外メーカーは喜んで独占契約を結んでくれます。しかし、ほとんどの人はそんな資金はありませんし、そのうえ仕入れるのはまだ日本人に知られていない商品です。知られていない商品の在庫を抱えることはリスクの大きいことです。在庫を抱えても最終的に売れればいいですが、新商品は過去のデータがない以上、売れるかどうか高い精度で予測するのは難しいです。だからこそ、**先に在庫を待たずに無在庫で需要を測れるクラファンを活用する**のです。

　1商品で100万円の在庫を持っていたら、5商品で500万円の在庫です。在庫が増えるほど新商品を出品することは難しくなります。しかし、**在庫ゼロであれば何種類もの商品を出品しても資金不足になりませんから、いくらでも出品できます。**在庫リスクがなければ仮に売れなかったとしてもダメージはありませんし、売れれば当然利益が出ます。あらためて交渉の目的をまとめてみましょう。

「日本のお客様とバイヤーに提案＆PRしながら日本で需要を測り売上も作ることができるクラファンを、金銭的リスクを下げて何度も活用するために、海外メーカーとの交渉に取り組む」

　このことを忘れないで取り組んでください。とはいえ、実際に交渉が進み独占契約がとれそうになると、「MOQが多い」と感じても無理して契約を結びたくなることもあります。「こうすれば売れるかも」「こうやれば在庫をさばけるかも」と、なにかと理由をつけたくなります。交渉にかけた時間や商品への思い入れを考えると、どうしても契約したくなる気持ちはわかります。しかし、それは大きな損失を被るリスクに化けるのでスパッと切り替えましょう。

　上記の物販クラファンの方針がブレなければ、在庫を抱えることなく、金銭的にマイナスになることもありません。**私は今まで100回以上物販クラファンを実施していますが、赤字になったことは一度もありません。**本来の目的を忘れずに取り組みましょう。

■ 経験者は許容範囲内で在庫を持つのはOK

　何度かクラファンを実施して、ある程度の目利きが身につき、資金力もあるのであれば、許容範囲内で在庫を持つのはOKです。一般的に仕入れの数が多いほど1個あたりの仕入価格を減らせるので、見積もりや商品内容などから総

合的に判断してください。

　たとえば300万円の売上が見込める商品であれば、100万円の在庫ならリスクは大きいですが、20万円の在庫ならそれほどリスクはありません。リスクの許容範囲は、扱う商品によって変わってきます。また、予測精度が高ければリスクの許容範囲は広がりますが、精度を上げるには経験を積んで目利きを鍛えるしかありません。

---

４７ 「クラファンに興味はないが 一般販売してもよい」といわれたら？

「独占契約は無理ですが、通常の代理店として販売してくれるのならOKです」
「クラファンには興味はありませんが、一般販売ならしてもらってかまいません」

　多くのメーカーと交渉していくと、なかにはこのような提案をしてくるメーカーもあります。「1国1社で独占販売はさせない」「自社ですべてコントロールしたい」という方針のメーカーに見られる提案です。

⚠ 独占契約を結べないなら避けたほうが無難

　メーカーの提案を受け入れれば、独占契約が条件となるクラファン以外でなら商品を取り扱える可能性は高いですが、独占契約を結ぶことができないなら避けたほうが無難です。日本では無名の海外新商品をクラファン以外で販売するときは必ず販促が必要になりますし、認知までに時間がかかります。しかも独占販売権を持たないままだと、認知を拡大したタイミングで別の日本代理店が参入してきます。Amazonであれば相乗り出品されます。

「自分が広告費を出して時間もかけて商品を広めたのに、ほかのセラーが参入してきた」では努力の甲斐がありません。メーカーとの独占契約は、このような事態を避けるためにも必要です。また、そもそも費用を抑えてPRとテストマーケティングを両方実施できる最良の手段として、私たちはメーカーにクラファンを提案するのです。

⚠ あえてメーカーの提案を引き受ける場合

例外として、メーカーからの提案を引き受けてもいいケースもあります。もっとも、上級者向けの方法になるので、まだクラファンに商品を出品したことがない方は無理をする必要はまったくありません。

■ 自分のビジネスと親和性が高い場合

もしあなたがほかのビジネスに取り組んでいて、そのビジネスとの親和性が非常に高い場合は検討の余地があります。この場合は、ご自分がライバルに容易に真似されないほどのプロと思いますので、独占契約でなくても通常の代理店契約でうまくいく可能性があります。

■ すでに販路があり、PRできるリソースを保有している場合

すでにご自分で販路や卸先を保有しており、PRできるリソースもあり、集客できる見込みがあれば検討の余地があります。まだ日本で無名の商品が売れると判断できる目利きを持ち、お金と時間をかけられる余裕のある人向けです。

Chap.
4

---

4 8 メーカーとの契約で 絶対に外せないポイント

メーカーとの交渉が進み、仕入価格もお互いが納得する形で着地したら、いよいよ独占契約を交わすことになります。本書では、私が何度も修正してブラッシュアップしてきた独占販売契約書のテンプレートを差し上げます。ただし、これはあくまでテンプレです。契約内容を理解して、曖昧な点があれば必ずメーカーに確認してから契約を交わさなければいけません。ここでは、契約前に必ず確認しておくべき項目をお伝えします。

⚠ 独占販売契約書のテンプレート

独占販売契約書のテンプレートは、P.4の特典用のQRコードからダウンロードしてください。直接メーカーに渡す英語版の独占販売契約書と日本語訳の両方をお渡しします。

独占販売契約書はメーカー側で用意することもありますが、これは比較的大

きなメーカーの場合です。小規模な新興メーカーの場合は契約書を持っていないことも多く、その場合は独占販売契約書のテンプレートをアレンジして活用してください。

　Makuakeをはじめとした国内クラファンサイトに出品申請するには、海外メーカーと交わした独占販売契約書が必須です。独占販売でない場合は、知らないところで一般販売が始まったり別のクラファンで展開されたりといったリスクがあるためです。

(!) 必ずメーカーと取り決める項目

　独占販売契約書を交わす前に、契約内容についてよく確認しておくことが必須です。日本流の「なんとなく伝える」タイプの交渉は絶対にNGです。重要なことはお互いに納得できるまでしっかりと話し合い、契約書に記載します。取り決めが甘いと契約書にサインする段階で白紙になる可能性もありますし、クラファン起案後にトラブルに発展することもあります。以下に示す内容については必ずメーカーと取り決めをしてください。

　また、契約書は通常「1回でサイン」とはなりません。私の契約書のテンプレートは、お互いの利益にフラットに作っていますので修正回数は少ない傾向にありますが、それでもメーカーの意向や商品によってさまざまな項目を修正します。あくまでも、お渡しする契約書のテンプレートはドラフト版に過ぎません。メーカーと契約書を何度も往復させつつ、項目や内容を加減したり変更したりしながらアレンジし、お互い納得できる形で契約しましょう。

■ 独占契約期間

　P.125でお伝えしたとおり、**物販クラファンの独占契約期間の目安は6カ月**です。通常の独占販売契約は1年更新ですが、まずは期間限定の独占販売権の獲得を狙うようにしてください。クラファンの結果がよければ、確実に更新されます。

■ 支払方法

　仕入れる商品やメーカーの意向によって差がありますが、生産前に総額の30 〜 50％程度の前払いをして、出荷前に残金の支払いをするケースもたまにあります。前払いのタイミングは、契約後やプロジェクト期間中などさまざまです。**なるべくクラファンの支援金を原資として支払い、立て替える資金を少なくしたいので、もし全額前払いを求めるメーカーがあれば交渉してください。**

　サンプルや少額仕入れはPayPal支払いでもOKな場合もありますが、基本的には海外送金（電信送金＝T/T）になります。海外送金については、あらためてP.254でお伝えしますが、口座開設に時間がかかることがあるので前もって準備しておく必要があります。

■ 不良品対応

　不良品があった場合の取り決めは十分話し合いましょう。一定の期間、基準の範囲内で、破損・故障した製品を代替品と交換する返品保証制度を「RMA（Return Merchandise Authorization）」といいます。不測の事態を想定し、以下の点を確認してRMAを独占販売契約書に盛り込んでください。

▶ 不良品率は何％まで保証されるのか？
▶ 不良品があればメーカーに返送するのか？
▶ 不良品返送の際の送料はどちらが負担するのか？

■ 納期

　トラブル防止のために、不良品とともにしっかり確認しなければいけないのが納期です。リターン商品配送時の遅延リスクを極力防ぐために以下のことは必ず確認し、遅延が起きないように釘を刺しておきましょう。事前に不良品対応と納期の確認をしっかりと行うほど、リターン商品配送時のトラブルに冷静に対応することができます。

▶ 現在、商品の在庫はあるのか？
▶ 在庫があるならどれくらいか？
▶ 在庫がないなら生産開始してからどの程度で納品できるか？
▶ リターン商品配送時期はいつごろがいいか？
▶ 生産が遅れた場合はどうするのか？

■ 輸送方法、インコタームズ

　メーカーや工場の場所、商品サイズ、納期などから、船便か航空便かを選ぶことになります。輸送方法は出荷条件によって変わるので契約書に盛り込むかどうかは微妙なところですが、確認は必要です。**図4-9**に船便と航空便の比較を示します。

133

図 4-9　船便と航空便の比較

	船便	航空便
送料	・一度に大量の荷物を運ぶので安価 ・少量輸送では航空便と差がつかない可能性あり	・大量の荷物の場合は船便より送料が高い ・少量輸送の場合は航空便のほうが有利な場合あり
納期	2週間〜1カ月。場合によっては約2カ月かかることもある	直行フライトであれば翌日には日本に到着
その他	・インコタームズの取り決めが必要 ・必要な書類が多い	・インコタームズの取り決めが不要 ・必要書類はインボイスのみ

　船便の場合、「インコタームズ」の取り決めをしておく必要があります。インコタームズは、「国際商業会議所が策定した貿易条件」のことです。インコタームズには全部で11の規則がありますが、主な方法は以下の4つです。

> ▶ EXW (Ex Works) ➡ 工場渡し
> ▶ FOB (Free on Board) ➡ 本船渡し
> ▶ CFR (Cost and Freight) ➡ 運賃込み
> ▶ CIF (Cost, Insurance and Freight) ➡ 運賃と保険料込み

　これは大まかには、どこまでメーカー（売主）が負担して、どこから私たち（買主）が負担するかという荷渡し条件の取り決めです。①CIF ➡ ②CFR ➡ ③FOB ➡ ④EXWの順に売主の責任範囲がなくなり、売主にとって有利な条件となります（**図4-10**）。このなかで主流なのが輸入先の港で所掌が入れ替わるFOBです。EXWのケースも多いですが、配送の手配や責任範囲が広くなり、買主にとってはFOBより不利な条件となるのでできるだけ避けてください。

　FCA（キャリア渡し）というFOBに似たインコタームズもありますが、買主からするとFOBのほうが有利です。FCAは比較的新しいインコタームズのため、FCAを知らないメーカーが商習慣としてFCA＝FOBとしている場合もあります。確認しておきましょう。

　インコタームズはよくわからない、難しいと感じる方もいるかもしれません。しかし、ドアtoドアで、現地でのピックアップから輸送、通関、陸送ま

で一貫して依頼できる業者もありますから（⇒P.253）、それほど心配する必要
はありません。

図4-10　輸入ビジネスの主なインコタームズ

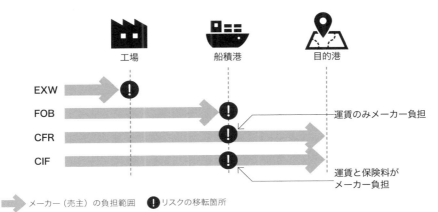

航空便の場合は、基本的にはFedEx、DHLなどの国際宅配便を使うので特
にインコタームズを意識する必要はありません。FedExとDHLはドアtoドア
輸送で、手続きが非常に楽で、通関もすべてお任せできます。

■ 検査費用
PSEや技適、食品衛生法など輸入に関する法規制（⇒P.87）をクリアするた
めの検査にかかる費用をどちらが負担するのか交渉します。**海外展開を考えて
いるメーカーは費用負担に乗り気なので、こちらで手続きを手伝いながら費用
はメーカーに負担してもらうのが理想**です。メーカーの意向や商品によっては
全額メーカー負担が難しいケースもありますが、その場合は50％の折半で着
地できるように交渉しましょう。基本的には、口には出さないまでも「御社の
商品をたくさん買うのだから、検査費用くらいは負担してください」という強
気の姿勢で臨んでください。

ただし、どうしてもクラファンに出品したい商品の場合は、交渉を進めるた
めに検査費用をこちらで全額負担するケースもたまにあります。なお、検査費
用の目安はP.154を見てください。ご自身の負担がある場合は、それを考慮し
て利益計算します。

■ トラブルの解決方法

準拠法（解釈の基準となる準拠すべき法律）や法廷地法（裁判所の所属している国家の法律）に関して取り決めをします。輸入ビジネスでは、トラブルが起きたときに、どちらの国の法律に準拠するか決めておく必要があるためです。独占販売契約書のテンプレートには盛り込んであります。

■ サンプル品の提供

これは契約書には記載しない項目ですが、クラファンサイトに出品申請する際は独占販売契約書、検査などのエビデンスだけでなく商品のサンプル品が必須になります。サンプル品は必ずメーカーに提供してもらうようにして、有償か無償かということと、サンプル品の届く予定日を確認しましょう。色やサイズが違う場合は全バリエーションを送ってもらうのが理想ですが、有償の場合は一部だけでも大丈夫です。

サンプル品を求めたらすぐに送ってくれるメーカーは、クラファン後のリターン商品配送もスムーズである可能性が高いです。逆に予定日を大幅に遅れてサンプル品を送ってくるメーカーはトラブルの可能性を疑ったほうがいいかもしれません。これまでの交渉のやりとりも含めて総合的に判断してください。

⚠ 独占販売契約書テンプレートの注意点

お渡しする独占販売契約書のテンプレートにはいくつか注意点があります。繰り返しになりますが、テンプレートですので、そのまま使用するのではなく、メーカーと話し合い臨機応変に対応するようにしてください。

■ 柔軟に対応したいところは契約書に記載しないのもあり

独占販売契約書テンプレートには、価格とインコタームズはあえて入れていません。 メーカーとの付き合いのなかで価格が下がったり、インコタームズもメーカー在庫なのか工場出荷なのかで変わったりするからです。

もちろん契約書に記載してもいいのですが、私の場合は柔軟な交渉を行える状態にしておきたいので、このテンプレートをベースにしています。価格とインコタームズに関しての同意は、エビデンスをメールで残しつつ、インボイス（請求書）で確定する流れにしています。なお、契約書に仕入価格を記載する場合でも、何事もないかのように取り決めた仕入価格より高い価格でインボイスを発行してくるメーカーもあります。インボイスの価格チェックは必ずして

ください。

　また、価格とインコタームズ以外にもご自分で柔軟に対応したい項目があれば、契約書への記載は省略してメールで詰めるなどとしても問題ありません。

■ 知らずに不利益とならないように気になることは相談

　私は今まで独占販売契約書に関して問題が発生したことはありませんが、メーカーと契約書を交わす際は自分が不利益を被らないようにすることが大前提となります。契約書をカスタマイズする際に気になる点があれば、最寄りの弁護士などに相談するようにしてください。

4 9 メールの返信率、独占契約の成約率はどれくらいか?

　ここでは、メールの返信率や独占契約の成約率の目安はどのくらいなのかをお伝えします。返信率や成約率が低かったとしてもPDCAを回して改善すれば、必ず数値は改善します。実践しながら改善していくという姿勢で取り組んでいきましょう。

① メールの返信率は20 ～ 30%が目安

　メーカーにファーストメールを送って返信がなくても諦めないことが大切です。返信があるまで少なくとも7回は内容を変えて送ったり、違う連絡先にアプローチしたりしてください。それを実践すれば、**アプローチしたメーカーの20 ～ 30%からなんらかの返信があります。**Amazonでの相乗り出品の打診など通常の海外メーカー仕入れでは、同じようにアプローチして返信率は10%程度ですから、かなり返信率は高いです。**月50社にアプローチすれば10 ～ 15社からはなんらかの返信があるということです。返信率が20%を下回るようであれば、支援金額の大きいメーカーにばかり打診しているか、メールの内容に改善の余地がある**ということです。

　10万ドル以上の支援を得たメーカーにばかり打診して返信率が低いなら、1 ～ 5万ドル程度の支援のメーカーにもアプローチしてください。実際にMakuakeやGREEN FUNDINGでプロジェクトを起案したら、Kickstarterの支援額を大きく上回ることも珍しくありません。最初からえり好みせずバランスよくアプローチしましょう。

また、テンプレ感のあるメールばかりを送っても返信率は低いです。もし返信率が低いなら、3通目以降は内容を変えて送っているか、商品への熱意を伝えられているかなどを見直すようにしてください。

⚠ 独占契約の成約率は20%が目安

　返信があったメーカーのうち、独占契約の成約に至る確率は20%程度が目安と考えてください。月50社に打診して返信のあるメーカーが10〜15社、このうち取引が成立するメーカーが2〜3社ということです。つまり、月に2〜3社と取引可能ということです。プロジェクト1件の支援額を100万円と見積もっても合計で200〜300万円、利益率30%なら60〜90万円の利益です。しかも、実際には支援額はもっと得られることが多いです。

　メーカーから返信はあるが、成約率が低いという場合は交渉内容に改善の余地があります。もう一度P.119に目を通してください。場数を踏み、改善を繰り返すことで成約率を上げることができます。

⚠ メーカー打診管理シートを活用しよう

　メーカーへの打診は一度や二度では終わらず繰り返しするものですし、並行して複数のメーカーに対してアプローチを行います。そのため管理のためのシートを作成して、アプローチしているメーカーとメール打診数を把握できるようにするといいでしょう。効率よくメーカー交渉を進めることができますし、メールの返信率や独占契約の成約率も一覧できます。

　参考までに私が使っている「メーカー打診管理シート」を特典で差し上げます。P.4の特典用QRコードからダウンロードできますので、ぜひ参考にしてください。

30%以上の利益率を確保する!
価格設定と利益計算

30%以上の利益率を確保する！
価格設定と利益計算

物販クラファンの特徴の1つは、仕入価格をメーカーと交渉し、販売価格を自分で決められる点です。ただ、自分で決められるからといって販売価格を適当にしてしまうと思った以上に利益が得られません。クラファンと一般販売の両方で利益が出るようにしっかりと数字を考えていきましょう。

5 1 クラファン販売価格設定の目安は 「仕入価格×3倍」

仕入価格の交渉（⇒P.126）のところで少しお伝えしましたが、基本的には**クラファン販売価格は「仕入価格×3倍」程度が理想**です。この仕入価格は、以下の計算式のように商品代金だけでなく、海外送料（⇒P.148）、関税・輸入消費税（⇒P.151）を加えたものです。つまり、海外送料や関税・輸入消費税も加味した仕入価格の3倍となるように価格設定します。

> **仕入価格 ＝（商品代金 ＋ 海外送料）× 関税・輸入消費税**

仕入価格が1万円であれば、理想的なクラファン販売価格は3万円です。では、次の条件で簡単に利益計算してみましょう。**販売価格を仕入価格の3倍に設定することで、割引価格で販売したり広告費を使ったりしても十分な利益率を確保できることがわかります。**

⚠ Makuakeで定価販売する場合

広告費を使わずにMakuake（手数料20%）で定価販売した場合の利益を計算してみます。

> ① 定価 ➡ 30,000円
> ② クラファン手数料 (20%) ➡ 30,000円 × 0.2 = 6,000円
> ③ 国内配送料 ➡ 1,000円
> ④ 仕入価格 ➡ 10,000円
> ⑤ 利益 = ①30,000円 − ②6,000円 − ③1,000円 − ④10,000円 =
> 　　　13,000円
> ⑥ 利益率 = ⑤13,000円 ÷ ①30,000円 × 100 = 43.3%

このように十分な利益を出せることがわかります。実際は商品ページ（LP）制作の外注費や広告費も使うので、もう少し利益率は下がりますが、仮にその分のお金が10%としても利益率は33%です。

⚠ Makuakeで超早割30% OFFにして販売する場合

クラファンで商品を販売するときは、序盤で大勢の支援者に購入を促すために個数限定で早割価格を設定することが多いです（理由は⇒P.206）。たとえばスタートダッシュで多くの人に買ってもらうために、30%割引で販売したとします。30%も割り引いていますが、それでも利益率は以下のように19.3%です。一番高い割引率で利益率が20%程度であれば問題ないでしょう。これなら広告費を使う余裕もあります。

> ① 超早割30% OFF価格 ➡ 30,000円 − 30,000円 × 0.3 = 21,000円
> ② クラファン手数料 (20%) ➡ 21,000円 × 0.2 = 4,200円
> ③ 国内配送料 ➡ 1,000円
> ④ 仕入価格 ➡ 10,000円
> ⑤ 利益 = ①21,000円 − ②4,200円 − ③1,000円 − ④10,000円 =
> 　　　5,800円
> ⑥ 利益率 = ⑤5,800円 ÷ ①30,000円 × 100 = 19.3%

⚠ クラファン終了後に実店舗販売する場合

次に、クラファン終了後に実店舗に卸した場合を例にして利益計算してみます。卸掛け率は60%に設定していますが、実際に実店舗に卸す場合は5〜6

掛けのことが多いです。そのため、卸売りを検討する場合は卸売りに対応できる原価設定にして十分利益が出るようにしましょう。

---

① 定価 ➡ 30,000円
② 卸掛け率60% ➡ 30,000円 × 0.6 = 18,000円
③ 納品送料（10個納品時）➡ 1個あたり300円
④ 仕入価格 ➡ 10,000円
⑤ 利益 = ②18,000円 − ③300円 − ④10,000円 = 7,700円
⑥ 利益率 = ⑤7,700円 ÷ ①30,000円 × 100 = 25.7%

⚠ クラファン終了後にAmazon販売する場合

　次に、クラファン終了後にAmazonで一般販売する場合を想定してみます。Amazonや自社ECサイトで一般販売する際、特に商品カテゴリーなどの検索キーワードがない商品は広告費がかかります。以下のように仮に広告費を20%使ったとしても利益率は30％です。

---

① 定価 ➡ 30,000円
② Amazon販売手数料（15%）➡ 30,000円 × 0.15 = 4,500円
③ 広告費（20%）➡ 30,000円 × 0.2 = 6,000円
④ FBA配送料 ➡ 1個あたり500円
⑤ 仕入価格 ➡ 10,000円
⑥ 利益 = ①30,000円 − ②4,500円 − ③6,000円 − ④500円 −
　　　　 ⑤10,000円 = 9,000円
⑦ 利益率 = ⑥9,000円 ÷ ①30,000円 × 100 = 30%

⚠ 高額商品は「仕入価格×3倍」にこだわる必要はない

　1個5万円以上の高額商品の場合は、利益率が低くても利益額が大きくなるので、「仕入価格×3倍」にこだわる必要はありません。また、高額商品の場合はある程度広告費をかけても赤字になるリスクが少なくなります。たとえば

仕入価格３万円の商品を、２倍の定価６万円でクラファンに出品するとします。

---

① 定価 ➡ 60,000円

② クラファン手数料（20%）➡ 60,000円 × 0.2 = 12,000円

③ 国内配送料 ➡ 1,000円

④ 仕入価格 ➡ 30,000円

⑤ 利益 = ①60,000円 − ②12,000円 − ③1,000円 − ④30,000円 =
　　　　 17,000円

⑥ 利益率 = ⑤17,000円 ÷ ①60,000円 = 28.3%

　P.140の仕入れ１万円、定価３万円の商品に比べれば利益率は落ちますが、利益額は増えています。広告費は商品単価に関係ないので、これだけの利益が残るのであれば広告費にかける余裕も増えます。高額商品の場合、利益率にこだわって相場より高い価格設定にするのではなく、利益額を重視した価格設定にするので問題ないでしょう。

ⓘ クラファンで完結するか一般販売もするかでも値付けは変わる

　P.84でお伝えしたように、商品リサーチの段階で、ある程度「クラファンで完結するか」「一般販売するか」の出口戦略は考えたほうがいいです。なぜかというと、販売価格設定の考え方が変わるからです。

　クラファンで完結するなら、販売価格についてMakuakeやGREEN FUNDINGの類似商品や同じカテゴリー商品の相場を確認します。一方で一般販売を意識するなら、一般販売の相場を確認する必要があります。

　クラファンでは、ここでしか買えないプレミアム感があり、アーリーアダプター気質の支援者が多いため、相場より高くても売れます。そのため、**クラファンで完結するのであれば、強気の販売価格設定がしやすくなります。**一方で、この強気の価格設定では一般販売では苦戦します。商品にもよりますが、一般販売する場合は、一般販売の相場の1.3倍くらいの価格設定が目安です。基本は「クラファンの販売価格 ≦ 一般販売の価格」にしないといけないので、クラファンの販売価格も強気の設定ができません。

　また、一般販売でも売れるかどうか予測が難しい場合もあります。そのため、商品やご自分の経験値によっては、まずはクラファンだけで完結させる想定でプロジェクトを進めてもいいでしょう。その場合、**卸の引き合いやメディ**

アからの問い合わせがあり、反響が大きい場合は方針転換して一般販売を検討することをおすすめします。

5 2 超早割、早割など リターンを複数設定する

　クラファンの価格を設定する際には、リターン（返礼品）を複数設定する方法が有効です。MakuakeやGREEN FUNDING、CAMPFIREなどのさまざまなプロジェクトを見てみると、ほとんどが複数のリターン設定をしていることがわかります（**図5-1**）。

図5-1　リターンを複数設定する

⚠ リターンを複数設定する理由

　リターンを複数設定するといっても、色やサイズなどのバリエーションや付属品などで価格を変えることはほとんどありません。バリエーションでリターンを複数設定すると、支援者が何を選ぶか迷ってしまい、購買意欲を削いでしまうからです。たとえば図5-1のシューズは、全部で7個のリターンがありますが、よく見ると商品内容は1足か2足かという違いだけです。シューズなのでバリエーションはありますが、定価の違いはありません。

　では、**どういうふうに複数の価格設定をするかというと、販売個数を限定し、さまざまな割引率で販売価格を階段状にしている**のです。こうすると、割引率の高い商品が早い者勝ちになるので、「どうせ買うなら今買おう！」とプロジェクト初期から支援が集まりやすくなります。

　クラファンのプロジェクトでは、初期段階に支援を集めることが重要です。多くの人が購入している商品は「たぶんよい商品だ」という心理が働くからです。これを**「バンドワゴン効果」**といいますが、つまり賑わっているプロジェクトは支援したくなるのです。**初期から支援の集まったプロジェクトは、ますます支援を集めやすくなるという好循環が働きます。**

⚠ 代表的なリターン設定例と、その目的

　図5-1のシューズでは、リターンが**図5-2**の設定になっています。リターンの割引率や販売個数は商品によって適正値が違いますが、図5-2はだいたいリターンの設定の型として参考にしてもらえるものです。リターンの数（種類）は6〜7個が目安で、リターンの数によって「超超早割」なども設定することがあります。**割引率は、クラファンの支援者が見慣れている20〜35%程度が適正値で、割引率が高いリターンほど販売個数を少なく設定して限定性を強くします。**

図5-2　代表的なリターン設定例

リターン設定	割引率	販売個数	目的と注意点
定価（1足）	−	−	一般販売予定価格。この価格より安価で一般販売するのは不可
超早割（1足）	33%	50個	開始直後から多くの支援を集める。利益面の優先順位は低いが赤字に注意
早割（1足）	27%	70個	超早割を逃した人でも購買意欲を失わない割引率で支援を集める。利益重視
Makuake割（1足）	22%	100個	テストマーケティング目的の割引価格。利益重視
超早割（2足）	40%	20個	家族や友人へのプレゼント用や予備がほしい人向け。セット買いのほうがお得感が出るように価格設定する
早割（2足）	35%	30個	
Makuake割（2足）	29%	50個	

リターン設定の考え方は上記のとおりですが、割引率や販売個数は、ご自分の売上や利益の目標がないと詳細を設定することはできません。まずは得たい支援金額と利益を決めてから逆算して求めていきます。また、事前集客や広告の施策をとるかとらないかでもリターンの設定は変わります。

■ 一番割引率が高い「超早割」

一番割引率の高いリターンは、プロジェクト開始直後のスタートダッシュ期間に多くの支援を集めることが主な目的です。スタートダッシュで多くの支援を集めることで、バンドワゴン効果によりさらに多くの支援を集めることができます。

ほかのリターンに比べていち早く支援を得ることを重視し、利益面の優先順位は高くありません。とはいえ、赤字にならないように注意して、広告費をどれくらいかけるかによって適正値を決めましょう。

ただし、スタートダッシュは赤字であっても、トータルで目標の利益を達成できる見込みであれば大丈夫です。逆に、すでに何回もプロジェクトを実施して見込み客リストがたまっている場合は、割引率と広告費を低めにして利益重視にする手もあります。もっとも、あまり割引率が低いと支援者の購買意欲が低下するので注意してください。

■ 2番目に割引率が高い「早割」

超早割のリターンが完売したら、次に支援者が購入するのが2番目に割引率が高い早割です。超早割よりは利益重視にして、販売個数を多めにしながらさらに支援を広げていきます。

ただし、超早割と乖離が大きすぎると支援者の購買意欲が低下するので注意してください。販売個数についても、超早割よりは多くていいですが、ある程度の限定性は保てるような個数にしましょう。リターン全体の割引率や販売個数のバランスを見ながら設定することが大切です。

■ 3番目に割引率が高い「Makuake割」

上記2つほどのお得感はありませんが、テストマーケティングを目的としたクラファン期間中限定の割引です。Makuake割という呼称はMakuake特有の言い方で、GREEN FUNDINGではクラウドファンディング限定価格などと呼ぶことが多いです。上記2つの割引よりは利益重視で販売個数も多いですが、クラファン期間中の限定割引であることを示して支援者の購買意欲を維持します。

　商品や割引の目的にもよりますが、一番低い割引率はだいたい20％前後が適正となることが多いです。なお、リターンは「超早割」「早割」「Makuake割」と３つに分けることにこだわる必要はありません。もっと割引率の差を細かく刻みたい場合はリターンの数を増やす手もあります。ただ、**あまり多すぎると支援者が迷い、購買意欲を削いでしまうので注意してください。**

■ 複数のセット売り

　クラファンでは、「２個セット」「３個セット」「５個セット」などセット販売することも多いです。これは、クラファンの支援者層には、友達や家族にプレゼントしたい、バリエーション違いの商品が複数ほしい、予備でほしいという人もいるためです。

　単品の購入者に比べると人数は少ないですが、高単価なので少ない支援者で支援額を増やすことができます。「これを２個買う人はいないよな」と思っても、一定数はセットで購入する支援者がいるので設定だけはしておきましょう。セット売りのリターンは、単品の超早割が30％なら２個セットの超早割は35％など、単品よりもお得感があるように割引率を設定します。

Chap.
5

ⓘ プロジェクト中のリターンの追加

　商品の売れ行きがよく、はじめに想定していた分がすべて売り切れそうな場合はリターンの追加が可能です。Makuakeは、「原則として一度公開したリターン内容を変更・取消はできません」としていますが、担当キュレーターに相談すれば追加可能です。基本は１回のリターン追加で、支援が巨額な場合は２回追加できます。リターンを追加する際は、先行支援者の不利益にならないように最低２％程度は値上げするように担当キュレーターから指示されます。

ⓘ 割引率の差の目安

　リターン設定では、よく「超早割や早割など割引率の差はどう考えればいいのか？」という質問を受けます。差が大きい場合（5 〜 10％刻み）と小さい場合（2 〜 5％刻み）で、**図5-3**のように相反するメリット・デメリットがあります。

図 5-3　割引率の差が大きい場合と小さい場合のメリット・デメリット

	割引率の差が大きい場合	割引率の差が小さい場合
メリット	スタートダッシュで大きな支援が得られやすい	割引率大のリターンが売り切れても購買意欲が下がりにくい
デメリット	割引率大のリターンが売り切れると購買意欲が下がりやすい	スタートダッシュで大きな支援が得られにくい

　ただし、これは事前集客や広告施策をまったくしなかった場合の話です。なんらかの事前集客の施策を行い、スタートダッシュがうまくいけば割引率の差が大きくても支援は得られます。気になる場合は、購買意欲が下がらないようにリターンを多めに設定し、割引率の段差を小さくしておくといいでしょう。

　割引率の差は、だいたい5％刻みを基準としてください。高単価商品は2～3％刻みでも販売価格にある程度差が出るので、割引率の段差が小さくても大丈夫です。また、販売個数が見込める商品については2～3％刻みでリターンの数を多めに設定する手もあります。

5　3　海外送料、国内配送料の基本的な考え方

　輸入ビジネスの利益計算では、国内配送料のほか海外送料についても考えないといけません。海外送料は、正確にはメーカーのインボイスを確認することになりますが、利益計算の段階ではまだ正確な送料はわかりません。そこで、ここでは一般的な海外送料の考え方についてお伝えします。なお、輸送手段についてはChapter 8で説明します。

⚠ 航空便の送料の考え方

　航空便の送料は、もっともメジャーな**「FedEx」**や**「DHL」**では以下の計算式で求めることができます。なお、**「実重量」**とは荷物をはかりに載せて測定したときの重量、**「容積重量」**とは荷物のサイズから換算される重量のことをいいます。容積重量については、一部の物流会社では「商品サイズ÷6,000」で計算されることもありますが、FedExやDHLでは「商品サイズ÷5,000」です。メーカーにMOQの交渉をしたら荷物の重量やサイズを確認しておきましょう。

> ① 航空便の送料 ＝ 商品の重さ（実重量か容積重量のどちらか重いほう）×
> 　　　　　　　　 1kgあたりの送料
> ② 容積重量（kg）＝ 商品サイズ ÷ 5,000 ＝ 縦（cm）× 横（cm）×
> 　　　　　　　　 高さ（cm）÷ 5,000

　1kgあたりの送料は、仕入数や輸入する国によって変わってきます。仕入れが多ければ送料は安く抑えられ、少なければ高くなります。当然ながら中国から商品を送ってもらうよりアメリカから送ってもらうほうが高くなります。

　ただ、**利益計算の段階では1kgあたりの送料は1,000円と考えれば大丈夫**です。1kgあたり1,000円と考えておけば、基本的に赤字になることはありません。

　航空便か船便かは仕入量によっても変わってくるので、クラファンプロジェクト終了後のリターン商品配送の段階でないと判断は難しいです。**利益計算の段階では航空便で考え、余裕を持って高い送料で見積もっておくといいでしょう。**

ⓘ 船便の送料の考え方

　船便は、大きく**「FCL貨物（コンテナ輸送）」**と**「LCL貨物（混載輸送）」**に分けられます。FCL貨物は、一荷主が1つのコンテナを貸し切って大口貨物を運ぶ輸送方法で、LCL貨物は、複数の荷主の荷物が混載する輸送方法です。

　FCLのほうが納期が早く（2週間程度）、また貨物にダメージがつきにくい一方で、コンテナを貸し切るので積み荷の量が少ないと割高になります。一方で、LCLは少量でも自分の貨物量に合った輸送ができますが、ほかの荷物が揃ってから発送となるので納期が遅く、さらに貨物にダメージがつくリスクがあります。また、1㎥あたり4,000円ほどのチャージが発生します。

　扱う商品や積み荷の量によって選択肢は変わってきますが、割高なものの安心なのはFCLのほうです。FCLは、主に20フィートコンテナと40フィートコンテナに分けられます（**図5-4**）。長さが2倍ほど違いますが、どちらも幅は内寸で2.3m、高さは2.4 〜 2.7mほどです。積み荷の量が20フィートの大きさのコンテナで輸送するほどでない場合は割安なLCLを検討します。

　FCLの送料は、積載量にかかわらずコンテナ単位の価格になります。**目安は、中国から日本に送ってもらう場合を想定すると、20フィートコンテナ1つで10万円前後、40フィートコンテナ1つで20万円前後となります。**ただ

し、発送場所や時期、社会情勢などによって価格や納期は大きく変わり、「こんなにかかるの！？」と面食らうこともあるのでキャリア（配送業者）に見積もりをとって確認するようにしてください。

図5-4　20フィートコンテナと40フィートコンテナ

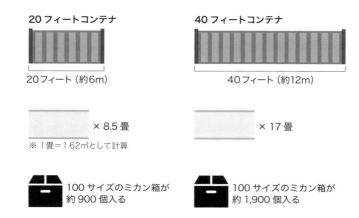

LCLの場合は、CBM（1㎥）単位で計算した運賃と、1t単位で計算した運賃の高いほうが適用されます。運賃率はフォワーダー（輸送業者）によって変わりますが、たとえば50ドル/㎥もしくは70ドル/tとした場合、9㎥/8tの荷物であれば以下のような計算になります。

---

① 50ドル × 9㎥ = 450ドル
② 70ドル × 8t = 560ドル

---

①と②の計算結果の高いほうが適用となるので、560ドルとなります。LCLにはミニマム運賃が設定されていることもあり、1㎥もしくは1tに満たない荷物の場合は、1㎥もしくは1tの運賃が適用されます。そのため、少量輸送では航空便と大して送料が変わらないこともあり、その場合は急ぎでなくても航空便を選びましょう。商品や業者によってはLCLでの輸送を断られることもあります。また、1㎥、1tあたりの運賃に関しても変動があるので、正確にはキャリアに見積もりをとるようにしてください。

⚠ 国内配送料の考え方

　日本に商品が到着したあとの支援者までの国内配送の手段は、リターン商品配送の話になるのでChapter 8でお伝えします。利益計算の段階では1個あたり1,000円程度と考えて計算すれば問題ありません。国内配送料は仕入原価には含めず、経費として考えて利益計算します。

5 4 関税と輸入消費税にも気をつけよう

　輸入ビジネスでは海外送料のほか、関税と輸入消費税についても計算しなくてはいけません。販売目的ではなく個人輸入の場合、関税は6割程度に減額されますが、個人輸入と偽って輸入すれば脱税になるので注意してください。また、関税や輸入消費税についてはアンダーバリューにも注意してください。

⚠ 関税・輸入消費税は合わせて15%で計算すれば大丈夫

　関税率は商品区分や仕入先の国によって細かく定められており、しかも計算方法が少し複雑です。そのため正確に計算するのは難しいです。ただ、利益計算の段階では、完璧な関税・輸入消費税を計算する必要はありません。**関税・輸入消費税は合わせて15%と考えれば大丈夫**です。つまり、以下の計算式で考えれば問題ありません。消費税率は10%（軽減税率8%）で、関税については無税の商品も多いですが、赤字になるリスクを抑えるために余裕を持って15%としています。

> **仕入価格 ＝（商品代金 ＋ 海外送料）× 関税・輸入消費税**
> **　　　　＝（商品代金 ＋ 海外送料）× 1.15**

　主な商品の関税率の目安は税関のホームページに掲載されています。年1回程度更新されるので定期的に覗いてみるといいでしょう。

⚠ アンダーバリューに注意

　関税と輸入消費税で気をつけたいのがアンダーバリューです。アンダーバリューとは、実際にかかった金額よりインボイスに安く記載して、関税や消費税を浮かせようとする行為です。関税や消費税は商品代金や海外送料に対して課税されるので、インボイス記載の金額を偽れば安くできてしまうのです。アンダーバリューは典型的な税金逃れの一種で、最悪関税法違反に問われることもあります（関税法第111条）。

　特に注意したいのが、こちらに悪意がなくても、メーカーや配送代行業者がよかれと思いインボイスに意図的に安く記入してしまうことです。**手元に届いたインボイスや請求明細書、輸入許可通知書の記載が正しいことを確認して、万一間違っていれば正しく記載してもらうようにしましょう。**

5 5 クラファン手数料は 20%を基本に考える

　各クラファンサイトの利用手数料は**図5-5**のとおりです。クラファンおかわりでなければ、基本はMakuake、GREEN FUNDINGの2択なので20%を基本として考えましょう。

図5-5　各クラファンサイトの手数料

Makuake	20%	
GREEN FUNDING	20%	リピートや紹介で手数料が割引になることがある
CAMPFIRE	17%	キャンペーンなどで手数料が割引になることがある
machi-ya	25%	

※ 2022年11月時点

5 6 商品ページ（LP）制作にかかる 費用の考え方

　クラファンの商品ページ（LP）制作の費用感は、ランサーズやクラウドワークスを利用して外注した場合、大まかに**図5-6**のようになります。

図5-6　LP制作の費用感

LPデザイン	5〜10万円
LPライティング	5〜10万円
LPデザイン、LPライティング両方できる人に依頼	15万円〜

　一般的にデザイナーにはライティングの依頼まではできないので、デザインのみ外注する場合はLPの文章は自分で考える必要があります。ライティングもできるデザイナーもいますが、希少価値が高いので報酬が高くなる傾向があります。また、両方できるデザイナーは見つけるのが大変です。ライティングを依頼したい場合は、デザイナーとライター別々に依頼するのが現実的です。

　なお、図5-6は安く見積もった費用感になります。経験値の高い優秀なデザイナーなら報酬はもっと上がる可能性があります。

　画像や動画などの素材は基本的にはメーカーから提供してもらいます。しかし追加撮影が必要な場合は、別途カメラマンや動画クリエイターの手配が必要になることがあります。もっとも、高度なクオリティが求められるような画像までは必要ないことが多く、安価に外注できる場合が多いです。

Chap.
5

5 7　広告費の考え方

　数百万円くらいの支援が目標なら広告費を使わないこともありますが、1,000万円以上の支援を得たプロジェクトでは多くの場合、広告費が投入されています。目標支援額が大きいほど利益率より利益額が重視されます。500万円の支援額で利益率が30％であれば利益は150万円ですが、1,000万円の支援額で利益率20％であれば利益は200万円です。どちらの結果を手にしたいかと聞けば、多くの方は後者と答えるでしょう。**広告費については、まずは目標支援額を決め、そのあとに目標広告費率を決定して、その予算内で運用しましょう。目安となる目標広告費率は15〜20％**です。

　なぜこのように考えるか、詳細はChapter 7でお伝えします。事前集客を含めて広告の施策にはさまざまな打ち手があり、これを全部やろうとすると多大な費用がかかります。プロジェクト期間中にさまざまな施策を検討することがありますが、大まかな予算を決めておくことで可否の判断がつきやすくなります。

目標広告費率については、目標支援額、ご自分の経験値やタスク量、マーケティング知識の有無、力を入れたい施策（事前集客など）から総合的に判断してください。主な広告施策の費用感は**図5-7**のとおりです。

図5-7　主な広告施策の費用感

事前集客	10万円〜
ラストスパート	0〜10万円
YouTuberへの拡散依頼	0〜10万円
メディア掲載依頼	無料
プレスリリース（※1）	1〜3万円
クラファンサイトメルマガ掲載依頼（※2）	0〜10万円

※1 媒体によって違いあり　　※2 クラファンサイトによって違いあり

5 8 輸入規制クリアのための検査費用の考え方

PSE、技適、食品衛生法などの法律を突破するための検査費用については、私たちとメーカーのどちらが払うかを交渉します（⇒P.135）。メーカーに全額負担してもらえる場合は特に考える必要はありませんが、私たちが一部費用負担する場合は必要経費に含める必要があります。検査費用の目安は**図5-8**のとおりですが、詳細は専門機関に問い合わせるようにしてください。

図5-8　検査費用の目安（全額負担の場合）

PSE	丸形で15万円〜
技適	Bluetoothで30万円程度
食品衛生法	6〜12万円程度（検査項目数による）

5 9 「利益予測&リターン計算表」を使って精緻に利益計算しよう

「利益予測&リターン計算表」は、P.4の特典用QRコードからダウンロード

できるExcelファイルです。これまでの説明を踏まえて、この利益予測＆リターン計算表で利益計算をしてみましょう。最初から全部活用しようとする必要はありません。一部分だけ使うことで大丈夫ですので、さまざまな数字を打ち込んでみて、目標の売上、利益を達成するにはどうしたらいいかを考えるための手がかりにしてください。

　利益予測＆リターン計算表には、「原価計算表」「定価計算表」「リターン計算表（広告費なし）」「事前集客計算表」「リターン計算表（広告費あり）」の5つのExcelシートがあります。1つずつ説明していきます。

(!) 原価計算表

　商品ごとの仕入価格（原価）を算出するシートです（**図5-9**）。**図5-10**の項目を手入力することで妥当な仕入価格を算出できます。単品あるいは2個セットなどリターンのパターンに応じて仕入価格を算出できるようになっています。メーカーとの仕入価格交渉の際にも活用できるものです。

図 5-9　原価計算表

	商品 1	
商品代金／現地通貨	33.00	ドル
為替レート（円）	125	¥4,125
1個輸入送料見込み（円）	600	¥4,725
小計（円）		¥4,725
関税・消費税（%）	15%	
予想仕入原価（円）		¥5,434

手入力する項目

	商品 2	
商品代金／現地通貨	50.00	ドル
為替レート（円）	125	¥6,250
1個輸入送料見込み（円）	500	¥6,750
小計（円）		¥6,750
関税・消費税（%）	15%	
予想仕入原価（円）		¥7,763

	商品 3	
商品代金／現地通貨	100.00	ドル
為替レート（円）	125	¥12,500
1個輸入送料見込み（円）	1,000	¥13,500
小計（円）		¥13,500
関税・消費税（%）	15%	
予想仕入原価（円）		¥15,525

155

図 5-10　原価計算表で手入力する項目

商品代金／現地通貨	現地通貨での商品代金を入力
為替レート（円）	現地通貨と日本円の為替レートを入力
1個輸入送料見込み（円）	1個あたりの輸入送料を入力。不明なら航空便で1kgあたり 1,000円で算出
関税・消費税（％）	不明なら15％と入力

ⓘ 定価計算表

　メーカーとの交渉である程度決まった仕入価格（原価）と、5％刻みの原価率をもとに、日本で販売する際の定価を設定するために活用します。基本的には「仕入価格×3倍」が定価の目安なので、原価率の目安は30％となります。ただ、仕入価格によっては適正な原価率も変わってきますので、5％刻みのさまざまな原価率を参照するようにしてください（**図5-11**）。

図 5-11　定価計算表

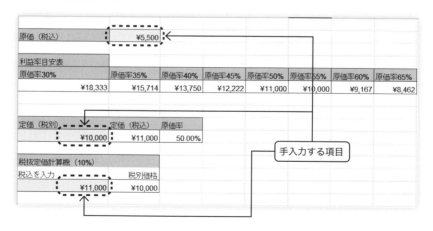

ⓘ リターン計算表（広告費なし）

　定価、仕入価格、リターンごとのセット個数や割引率、リターンごとの販売個数などを設定し、1つのプロジェクトでどれだけの利益が見込めるか予測できます（**図5-12**）。このシートで手入力する項目は**図5-13**のとおりで、その

156

結果、**図5-14**の項目が自動的に算出されるようになっています。なお、この
シートは広告費を使わないケースを想定しています。広告費を使うケースで
は、次の「事前集客計算表」と「リターン計算表（広告費あり）」を使用して
ください。

図5-12　リターン計算表（広告費なし）

	定価	¥30,000	原価	¥10,000	国内配送料	¥1,000	PF手数料	20.00%			
	セット個数	割引率	販売金額	リターン数	売上	利益	1リターン利益	利益率	売上合計	利益合計	累計利益率
リターン1	1	40%	¥18,000	20	¥360,000	¥68,000	¥3,400	18.89%	¥360,000	¥68,000	18.89%
リターン2	1	35%	¥19,500	30	¥585,000	¥138,000	¥4,600	23.59%	¥945,000	¥206,000	21.80%
リターン3	1	30%	¥21,000	40	¥840,000	¥232,000	¥5,800	27.62%	¥1,785,000	¥438,000	24.54%
リターン4	1	25%	¥22,500	50	¥1,125,000	¥350,000	¥7,000	31.11%	¥2,910,000	¥788,000	27.08%
リターン5	1	20%	¥24,000	70	¥1,680,000	¥574,000	¥8,200	34.17%	¥4,590,000	¥1,362,000	29.67%
リターン6			¥0	0	¥0	¥0	#DIV/0!	#DIV/0!	¥4,590,000	¥1,362,000	29.67%
リターン7			¥0	0	¥0	¥0	#DIV/0!	#DIV/0!	¥4,590,000	¥1,362,000	29.67%
リターン8			¥0	0	¥0	¥0	#DIV/0!	#DIV/0!	¥4,590,000	¥1,362,000	29.67%
リターン9	2	40%	¥36,000	20	¥720,000	¥156,000	¥7,800	21.67%	¥5,310,000	¥1,518,000	28.59%
リターン10	2	35%	¥39,000	40	¥1,560,000	¥408,000	¥10,200	26.15%	¥6,870,000	¥1,926,000	28.03%
リターン11	4	40%	¥72,000	10	¥720,000	¥166,000	¥16,600	23.06%	¥7,590,000	¥2,092,000	27.56%
合計				280					¥7,590,000	¥2,092,000	27.56%

手入力する項目

図5-13　リターン計算表（広告費なし）で手入力する項目

定価	「仕入価格×3倍」を目安にする
原価	仕入価格のこと 仕入価格＝（商品代金＋海外送料）×関税・輸入消費税
国内配送料	1個あたりの国内配送料。不明なら1,000円と入力
PF手数料	クラファンサイトの利用手数料 まだ決まっていなければ20%と入力
セット個数	リターンごとのセット数を入力
割引率	リターンごとの割引率を入力。目安は20～35%
リターン数	リターンごとの販売個数。割引率が高いほど少なめに設定する

Chap.
5

図5-14 リターン計算表（広告費なし）で自動的に算出される項目

販売金額	割引率を加味したリターン1個あたりの販売金額
売上	リターンごとの売上
利益	リターンごとの利益
1リターン利益	リターン1個あたりの利益
利益率	割引率を加味したリターンごとの利益率
売上合計	プロジェクトの総売上
利益合計	プロジェクトの総利益
累計利益率	プロジェクト全体の利益率

(!) 事前集客計算表

　事前集客とは、プロジェクト開始前に見込み客を集めて、スタートダッシュ
で大きな支援を得るための対策です。SNS広告からティザーLPを経由して
LINEへの登録を促します。詳しくはChapter 7でお伝えします。事前集客に
かかる費用は主にSNS広告（Facebook、Instagram、Twitter）とプレスリ
リースです（**図5-15**）。

　事前集客の予算は、スタートダッシュで何人に支援してほしいかを逆算して
考えます。たとえば想定リスト単価（CPA）500円で、初動で100人に支援
してほしいと考えた場合は、LINE登録者の成約率（CVR）を10%とすれば、
500円×100÷0.1＝50万円の予算が必要となります。

図5-15 事前集客計算表

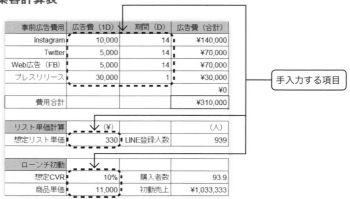

図5-16　事前集客計算表で手入力する項目

広告費（1D）	1日にかける広告費。各SNS広告の費用は目標とする初動の支援者数、売上によって変わる。プレスリリースは3万円を目安とする
期間（D）	広告出稿期間。SNS広告は14日程度が目安、プレスリリースは1日とする
想定リスト単価	1人の支援者を獲得するのにかかる費用。300〜800円が目安
想定CVR	成約率。5〜10%が目安
商品単価	販売価格を入力

図5-17　事前集客計算表で自動的に算出される項目

広告費（合計）	媒体ごとの総広告費
費用合計	広告費の合計
LINE登録人数	費用合計÷想定リスト単価
購入者数	LINE登録人数×想定CVR
初動売上	商品単価×購入者数

⚠ リターン計算表（広告費あり）

「リターン計算表（広告費なし）」に広告費の項目を加えたシートです（**図 5-18**）。ここでの広告費はプロジェクト期間中の広告費が該当するため、事前集客は除いて計算します。具体的には、支援を促すSNS広告、プレスリリース、メルマガ掲載、YouTube施策などにかかる費用です。広告費率15〜20%くらいを目安に利益計算してみましょう。

　使い方は、「リターン計算表（広告費なし）」の手入力項目に加えて、広告費率を手入力するだけです。これで**図5-19**のように広告費を加味した利益や利益率を算出できます。

159

図 5-18　リターン計算表（広告費あり）

追加項目（手入力）

	定価	¥30,000	原価	¥10,000	国内配送料		¥1,000	PF手数料		20.00%	広告費	15%		
	セット個数	着劣率	販売金額	リターン数		売上	利益		1リターン利益	利益率	売上合計	利益合計	累計利益率	
リターン1	1	40%	¥18,000	20		¥360,000	¥68,000		¥3,400	18.89%	¥360,000	¥68,000	18.89%	
リターン2	1	35%	¥19,500	30		¥585,000	¥138,000		¥4,600	23.59%	¥945,000	¥206,000	21.80%	
リターン3	1	30%	¥21,000	40		¥840,000	¥232,000		¥5,800	27.62%	¥1,785,000	¥438,000	24.54%	
リターン4	1	25%	¥22,500	50		¥1,125,000	¥350,000		¥7,000	31.11%	¥2,910,000	¥788,000	27.08%	
リターン5	1	20%	¥24,000	70		¥1,680,000	¥574,000		¥8,200	34.17%	¥4,590,000	¥1,362,000	29.67%	
リターン6				0		¥0	¥0		#DIV/0!	#DIV/0!	¥4,590,000	¥1,362,000	29.67%	
リターン7				0		¥0	¥0		#DIV/0!	#DIV/0!	¥4,590,000	¥1,362,000	29.67%	
リターン8				0		¥0	¥0		#DIV/0!	#DIV/0!	¥4,590,000	¥1,362,000	29.67%	
リターン9	2	40%	¥36,000	20		¥720,000	¥156,000		¥7,800	21.67%	¥5,310,000	¥1,518,000	28.59%	
リターン10	2	35%	¥39,000	40		¥1,560,000	¥408,000		¥10,200	26.15%	¥6,870,000	¥1,926,000	28.03%	
リターン11	4	40%	¥72,000	10		¥720,000	¥166,000		¥16,600	23.06%	¥7,590,000	¥2,092,000	27.56%	
合計				280							¥7,590,000	¥2,092,000	27.56%	

図 5-19　リターン計算表（広告費あり）で自動的に算出される項目

広告費	リターンごとの広告費
広告費入利益	広告費を加味したリターンごとの利益
広告費入利益率	広告費を加味したリターンごとの利益率
合計利益	広告費を加味したプロジェクトの総利益
累計利益率	広告費を加味したプロジェクトの総利益率

追加項目（自動出力項目）

広告費	広告費入利益	広告費入利益率	合計利益	累計利益率
¥54,000	¥14,000	3.89%	¥14,000	3.89%
¥87,750	¥50,250	8.59%	¥64,250	6.80%
¥126,000	¥106,000	12.62%	¥170,250	9.54%
¥168,750	¥181,250	16.11%	¥351,500	12.08%
¥252,000	¥322,000	19.17%	¥673,500	14.67%
¥0	¥0	#DIV/0!	¥673,500	14.67%
¥0	¥0	#DIV/0!	¥673,500	14.67%
¥0	¥0	#DIV/0!	¥673,500	14.67%
¥108,000	¥48,000	6.67%	¥721,500	13.59%
¥234,000	¥174,000	11.15%	¥895,500	13.03%
¥108,000	¥58,000	8.06%	¥953,500	12.56%
¥1,138,500			¥953,500	12.56%

Chapter

6

支援者が思わず
ポチってしまう
商品ページ(LP)の作り方

支援者が思わずポチってしまう商品ページ(LP)の作り方

メーカーとの間で独占契約を結んだら、クラファンに出品申請をします。その際に商品ページ（LP：ランディングページの略）を作成しますが、物販クラファンでは、どれだけLPで魅力を伝えられるかが大きなウェイトを占めます。私は、イマイチなLPで大きな支援を集めたプロジェクトは見たことがありません。商品力と同様に成功の可否を決める重要な要素となります。

6 1 スムーズにクラファン準備ができる出品申請、LP作成手順

　スムーズにクラファン準備を進めるための出品申請、LP作成の流れを説明します。段取りよく準備を進めるために知っておいてください。

① メーカーの海外クラファンLP、公式サイトをチェックする

　まずは、海外メーカーが実施した海外クラファンのLPやメーカー公式サイトを確認します。海外クラファンのLPは、Kickstarter、INDIEGOGOなど複数のプラットフォームでプロジェクトを行っている場合はどちらもチェックしてください。具体的なチェック項目は以下の3点です。

■ **使用している画像や動画をチェック**
　海外クラファンLPで使用している画像・動画素材のデータがあればメーカーに送ってもらってください。デザインを加えた画像も一応送ってもらうとよいですが、重要なのはデザイン前のもとの素材データです。メーカーが撮影した写真や動画は一式送ってもらうようにしてください。

■ **仕様やデザイン変更の有無をチェック**
　海外クラファンのプロジェクト開始から現在までの間に商品の仕様が変更されていないか確認します。クラファンはプロジェクト終了後に商品を生産するので、カラーバリエーションや仕様が変更になっている可能性があります。**も**

し変更になっていればLPは仕様変更を反映したうえで作成する必要があります。メーカーに変更後の画像や動画の素材がないかを確認し、あればすべて送ってもらうようにしてください。

■ 海外クラファンのコメント欄をチェック

海外ユーザーが商品のどの点を評価したのかチェックします。支援者が商品を使うメリットがわかるのでLP作成の参考になります。ただし、**最適な訴求ポイントが海外と日本では違うことがあるので注意してください。**

② 海外クラファンLPをざっくりと翻訳する

ざっくりでいいので海外クラファンLPを日本語に翻訳します。複数のプロジェクトを立ち上げている場合は、直近のプロジェクトを翻訳しましょう。

翻訳を外注してもいいですが、翻訳したものをそのまま日本のクラファンサイトに掲載するわけではありません。海外での適切な訴求と、日本人に刺さる訴求は違うことがあるからです。そのため、Google Chromeの日本語翻訳機能やDeepL翻訳を使うことで問題ありません。**画像のなかの文字まで翻訳することはできませんが、大まかに中身が理解できれば大丈夫**です。なお、プロモーション動画がある場合は動画の翻訳も忘れないようにしましょう。

③ LPの下書きを作成する

海外クラファンLPをチェックしたら、MakuakeやGREEN FUNDINGに掲載するLPの下書きを作ります。P.169に示すようにターゲット設定やPRポイントを整理して構成を考えましょう。手書きでもPCでもかまいません。

また、この過程で、LP制作用の画像や動画について追加でほしい素材がないかも確認してください。**構成を考えると、「前は思いつかなかったけど、この画像もほしいな」と浮かぶことがあります。**メーカーから送ってもらった素材では足りない場合は、画像や動画を撮影するようにしましょう。カメラマンや動画クリエイターに外注してもいいですが、多少の追加分くらいなら自分で撮影してもかまいません。

LPの構成や内容が固まってきたらデザイナーにLP作成を依頼します。指示書で詳細に意図を伝え、イメージに合うLPを作成してもらうようにしてください（⇒P.309）。デザインだけでなくライティングも外注する手もありますが、その際もご自分で商品の訴求点をしっかり伝えるようにしましょう。

Chap.
6

④ クラファンサイトを選定し出品申請する

　LPの下書きがだいたいできてきたら、クラファンサイトを選定し、出品申請を開始します。出品申請すると、キュレーターと呼ばれるプロジェクト担当者から連絡が届きます。キュレーターにLP作成のためのプロジェクト編集用ページを開設してもらいます。

⑤ リターン内容と目標金額、プロジェクト期間を決める

　クラファンサイトに出品申請する際は以下の点を決めておきます。

■ リターン内容とクラファン販売価格

　リターン内容とクラファン販売価格を決定します（⇒P.140）。利益計算を経てある程度は固まっていると思いますが、出品前に再確認しておきましょう。

■ 目標金額

　ここでいう目標金額とは、ご自分の目標達成支援金額ではなく、サクセスバッジのつく金額のことを指します（**図6-1**、**図6-2**）。

　サクセスバッジは早くついたほうがプロジェクトの賑わい感を演出できるので、ここでの目標金額は低い額でOKです。**プロジェクト開始初日で見込める支援金額として10 ～ 30万円を目安に設定しましょう。** 図6-2のプロジェクトでは目標金額を10万円としていますが、これで支援金額が初日20万円であれば、初日から達成率が200％になります。初動に成功すれば、初日から人気があって売れている雰囲気を演出できます。

　最近はこのような演出が当たり前になっており、サクセスバッジのついていないプロジェクトは敬遠される傾向があります。All or nothing方式（⇒P.167）にしない限りは目標金額は低めに設定しましょう。

図 6-1　Makuake の目標金額とサクセスバッジ

図 6-2　GREEN FUNDING の目標金額とサクセスバッジ

■ プロジェクト期間

　プロジェクトの開始日と終了日を設定します。Makuakeでは最大89日（約3カ月）まで設定できますが、物販系のプロジェクトでは1カ月〜1カ月半程度が目安です。プロジェクト期間中は、ただ放っておくだけでなく、多くの支援者に認知してもらうためのさまざまな施策を予算範囲内で行うようにします（⇒P.153）。プロジェクトの終了日は、支援金の入金日も参考にして設定するようにしてください（**図6-3**）。

図 6-3　主なクラファンサイトの支援金の入金日

Makuake	プロジェクト終了月の翌々月の第3営業日
GREEN FUNDING	・16日〜月末にプロジェクト終了なら翌月末 ・1 〜 15日にプロジェクト終了なら翌月15日
CAMPFIRE	プロジェクト終了月の翌月末
machi-ya	プロジェクト終了月の翌月末

※ 2022年11月時点

　CAMPFIREとmachi-yaは、別途追加手数料を支払うことで支援金の振込タイミングを、プロジェクト終了月の翌月末から最短4営業日に短縮できる「早期振込サービス」を利用できます。

早期振込サービス手数料
- ▶ 支援総額が20万円未満 ➡ 早期振込手数料　1万円（税抜）
- ▶ 支援総額が20万円以上 ➡ 早期振込手数料　支援総額の5%（税抜）

※ 2022年11月時点

■ リターン商品の提供日
　告知していた提供日から大幅に遅れると炎上を招きますから、リターン商品提供の納期はなるべく長めに設定します。当然、メーカーには生産納期をしっかりと確認するようにしてください。

⑥ LPを作成、投稿する

　クラファンサイトのプロジェクト編集用ページで、下書きした内容をもとにLPを投稿します。LPの構成や内容については、P.173で詳しくお伝えします。LP作成というと大変なイメージを持ってしまう方も多いかもしれませんが、型に当てはめて作成できるように説明しますので心配はいりません。

⑦ LPの審査を受ける

　LP掲載前に各クラファンサイトでLPの審査が行われます。出品申請から審査通過までにはある程度の日数がかかりますから、プロジェクトの開始希望日はあらかじめ担当キュレーターに伝えておきます。LP審査でOKが出たらクラファンをスタートできます。

6 2 クラファンサイトの選定ポイントと 出品申請

　LPの具体的な作成方法の話に入る前に、クラファンサイトの選定ポイントと出品申請についてお伝えします。

⚠ Makuakeか GREEN FUNDINGの2択

　クラファンサイトは基本的にMakuakeかGREEN FUNDINGの2択です。物販系のプロジェクトの実績や会員数では、この2つが圧倒しているからです。CAMPFIREとmachi-yaはクラファンおかわりで活用することが多いです。詳しくはP.262を参照してください。

■ Makuake

　Makuakeは国内最大手で、物販系のプロジェクトに強いクラファンサイトではもっとも会員数が多いです。個人事業主も出品できますし、広告の施策に慣れていなくても支援を得られやすいところがあります。**特に最初のうちは、できる限りMakuakeでプロジェクトを行うことを念頭に置くといいでしょう。**

　ただし、出品アカウントの申請やLPのチェックなどがほかのクラファンサイトに比べて厳しく、時間がかかることも多いです。申請、審査に時間がかかりすぎたり、LPのチェックによって修正箇所が必要以上に多く出て訴求が弱くなってしまう場合は、GREEN FUNDINGでの出品を検討してください。

　Makuakeはプロジェクト募集方式として「All in」と「All or nothing」があります。All in方式は、目標金額を達成せずに終了した場合でも、集まった分だけ支援金を受け取れます。その代わり目標金額を達成しなくてもリターン商品配送の義務が残ります。一方でAll or nothing方式は、目標金額を達成した場合のみに支援金を受け取れる方式です。目標金額に1円でも足りなければ支援金は受け取れませんが、その代わりリターン商品配送をする必要がなく、利用手数料も支払う必要がありません。そのため、All or nothing方式はMOQ縛りのある商品のテストマーケティングで活用されることが多いです。

　私は、**物販クラファンでは基本的にはAll in方式を推奨しています。**メーカーと仕入個数を交渉する際に、「初回MOQ＝クラファン支援数」とすれば在庫リスクがなくなるので、All or nothing方式にするメリットがないからで

167

す。また、All in方式のほうが支援者にとっても確実にリターン商品が届く安心感があるので、特に大きな理由がなければAll in方式を選択するようにしてください（この考え方はCAMPFIREやmachi-yaでも同様です）。All in方式にして目標金額を低めに設定することで、サクセスバッジや目標達成率で賑わい感を演出できるので、スタートダッシュに成功しやすくなります。

■ GREEN FUNDING

　GREEN FUNDINGは会員数こそMakuakeほどではないですが、Makuake以上に物販系のプロジェクトに特化しているのが特徴です。Makuakeが広いジャンルを満遍なく扱っているのに対して、GREEN FUNDINGはガジェット系など男性向けの商品が多い印象です。TSUTAYA系列なので、蔦屋家電など関連の実店舗やオンラインストアに卸せる可能性があります。審査はMakuakeよりゆるく、すぐにプロジェクト実施につなげることができるので、スピード感を持ってプロジェクトを動かすことができます。またMakuakeと違って効果測定ができるので、広告運用に力を入れたいプロジェクトもGREEN FUNDINGでの出品が要検討となります。

　GREEN FUNDINGの募集方式はAll or nothing方式のみです。しかし、目標金額を10〜30万円と低めに設定すれば、実質的にAll in方式と同じような運用ができるので問題ありません。

　GREEN FUNDINGで注意したいのは、2020年4月以降は法人のみの起案受付となっている点です。そのため、個人事業主の方は必然的にMakuakeを選択することになります。もっとも、この機会に法人設立を検討してみてもいいかもしれません。利益が大きくなれば法人化の必要性が高まりますし、法人のほうが卸の取引で有利になる場合もあるからです。

　また、P.71で「片方のクラファンサイトである程度の支援があるのに、片方のクラファンサイトに出品していない場合は大チャンス」と説明しました。Makuakeでは支援を集めているけれどGREEN FUNDINGにはない商品の場合にはGREEN FUNDING、逆ならMakuakeに出品するようにすると成功確率が高くなります。

⚠ クラファン出品申請時に必要なもの

　海外メーカー商品のプロジェクトの場合は以下のものを提出する必要があります。クラファンサイトによって若干の違いがあるので、詳細は各クラファンサイトで確認するようにしてください。

▶プロジェクト申込書
▶本人確認書類（運転免許証、健康保険証など）
▶住民票の写し、住民票の記載事項証明書（個人の場合）
▶印鑑登録証明書（個人の場合）
▶履歴事項全部証明書あるいは商業登記簿謄本（法人の場合）
▶独占販売契約書
▶サンプル品
▶法的に定められた各種証明書などの写し（輸入の法律規制がある場合）
▶LPの内容を証明できるエビデンス（「世界初」「独自開発」「革新的」などの表現を入れている場合）

Chap.
6

6 3 商品のターゲットと　PRポイントを整理する

　LP作成にあたって欠かすことができない、スムーズに支援を集めるためのポイントをお伝えします。

⚠ 商品のターゲットを設定する

　ターゲットの設定ができていないと、そもそも何をPRしたらいいのか、LPで的確な訴求ができず支援が集まりません。LPの土台となるものなので必ず設定してください。具体的には、商品を利用する支援者のなかでもっとも重要な人物モデル（ペルソナ）を1人設定します。ご自分の家族や友人のなかで「この人ならほしがりそうだな」という人をイメージするのも1つの方法です。

　厳密にはほかにも項目はありますが、ターゲットを設定する際には、これだけのことを考えておけば大丈夫です。よくターゲットを詳細に絞り込むと多くの支援を得られないのではないかと不安を覚える方がいます。しかし、**ターゲットを設定せず、全方位に発信する内容のLPでは曖昧な訴求になり、支援者は自分事としてとらえられないので支援が得られません。**ぴったりペルソナに当てはまる人はもちろん、部分的に当てはまる人も十分ほしいと思ってもらえるので安心してください。

　なお、ターゲット設定の際、ペルソナが2人思い浮かぶことがあります。たとえば次のような商品です。あなたなら、どちらをペルソナにしますか？

例1　電動バイク ─────────────
① 通勤の足や休日のサイクリングで使いたい男性会社員
② 子供と買い物袋を載せて移動したい主婦

例2　調理用具 ─────────────
① アウトドア好きな男性会社員
② 毎日の家事を楽にしたい主婦

　商品にもよるので断定はできませんが、迷うようであれば、上記の場合はどちらも①がおすすめです。なぜなら、「30 〜 50代の比較的お金に余裕のある男性」というクラファンの一般的なターゲット層に合致しているからです。も

し複数のペルソナが考えられ、どちらに訴求するか迷う場合はクラファンの一般的な層に合うのはどちらかを考えるようにしてください。

⚠ 海外クラファンLPを材料に 商品のPRポイントを考える

出品する商品の海外クラファンLPを翻訳したら以下の点を確認してください。特に「商品のPRポイント」と「ほかの商品より優れている点」は重要です。

> ▶ 商品のPRポイント
> ▶ ほかの商品より優れている点（差別化）
> ▶ 日本での妥当な販売価格
> ▶ 海外クラファンでの最終的な達成支援金額

■ 日本でのPRポイントを考える

海外クラファンLPを鵜呑みにすればいいわけではありません。日本のクラファンではどこを推すかを考えることが重要です。たとえば以下の「多機能で頑丈な素材のバックパック」を例に、日本で売れるポイントへの言い換えを考えてみましょう。

> **多機能で頑丈な素材のバックパック**────────
> 海外クラファンLPでは多機能であることを中心にアピール
>
> でも多機能なバックパックはありきたり
>
> 多機能かつ頑丈な素材のバックは珍しい
>
> 頑丈さをメインに推したほうが魅力的な商品としてアピールできる

外国人と日本人では売れるポイントが違うので、このようなことはよく起こります。MakuakeやGREEN FUNDINGなど国内クラファンサイトの類似商品のLPを参考にしながら、PRポイントや差別化ポイントを考えましょう。

■ 利用シーンやベネフィットを考える

　海外クラファンLPは商品説明が中心のものが多く、支援者のニーズに対する商品のメリットが十分に伝わっていない場合があります。海外クラファンではこれでも支援が集まるのですが、日本では支援者のメリットや開発ストーリーを伝えないと支援が集まりません。

　商品説明を、商品の売りやメリット、支援者が利用して得られる恩恵に言い換える必要があります。支援者が商品を利用して得られる恩恵を「ベネフィット」といいます。特にLPのトップ画像（サムネイル）やタイトルでは、支援者のベネフィットや利用シーンを十分表現する必要があります。

　たとえば商品がオールインワンジェルなら、「3分で朝のスキンケアが済む」という商品説明は、**「3分でスキンケアが済むので、朝コーヒーを楽しむ時間ができる」**というベネフィットになります。商品を通じて支援者の生活がどのように変化するのかを表す必要があります。

　商品のスペックや特徴だけを説明したLPはMakuakeやGREEN FUNDINGでもよく見られますが、ベネフィットに着目したLPは多くありません。ベネフィットを意識するだけでも支援を得られやすくなります。

■ 支援者のニーズを掘り下げて考える

　支援者のベネフィットをLPに落とし込むには、支援者のニーズを掘り下げて考えることが重要です。**図6-4**の型に当てはめて考えてみましょう。なお、例として挙げたソファのターゲット層は30～40代の男性会社員です。

図6-4　支援者のニーズを掘り下げる

型	例
〇〇（商品名）がほしい ⇩ なぜ〇〇がほしいのか？ ⇩ When（いつ）、Where（どこで）、Who（誰が）、What（何を）、Why（なぜ）、How（どのように）の5W1Hで利用するシチュエーションを考える	ソファがほしい ⇩ なぜソファがほしいのか？ ⇩ When ➡ 仕事帰りや休日 Where ➡ リビングに置きたい Who ➡ 30～40代の男性会社員 What ➡ ソファ Why ➡ くつろぎたい

	How ➡ 休憩する
⇓	⇓
なぜそのシチュエーションで〇〇がほしいのか？	なぜそのシチュエーションでソファがほしいのか？
⇓	⇓
商品を使うメリットを考える	ふかふかで気持ちよさそうだから。ソファでゆっくりとくつろぎたい
⇓	⇓
なぜ支援者はそのメリットを求めるのか？	なぜ支援者はそのメリットを求めるのか？
⇓	⇓
支援者のニーズを考える	平日は忙しいから休日はリラックスして過ごしたい
⇓	⇓
つまり、ターゲットにとってのベネフィットは何か？	つまり、ターゲットにとってのベネフィットは何か？
⇓	⇓
支援者のベネフィットを考える	リラックスした時間を楽しめるようになる

　このように順序だてて支援者のニーズやベネフィットを掘り下げていくようにします。上記の例でソファのLPを作成するなら、「ふかふかのソファに座って休日にリラックスしている人」を表現する文章や画像があるとよいことがわかります。

6 4 支援が集まるLPの構成パターン
>>> トップ画像、タイトル

　商品のターゲットやPRポイントを整理できたら、LPの構成、必要な情報、LP全体のカラーやイメージ（シンプル、高級感、ポップなど）を決めていきます。商品のターゲットやベネフィットを的確に表現したLPは多くありませんから、商品力・訴求力ともに高ければ、ほぼ間違いなくプロジェクトは成功します。
　ここでは、LPの基本的な構成とポイントをお伝えします。**LPの一般的な構成順に並んでいますのでテンプレートとして活用してください。**ただし、商品によってはLP本文の構成や順番を変えたり削除したりする必要が出てくるこ

Chap.
6

ともあります。そこは臨機応変に考えてください。

① LPトップの掲載項目 (⇒P.175) ─────────
▶トップ画像 (サムネイル)
▶YouTube動画
▶スライドショー画像 (必要に応じて)
▶タイトル
▶ストーリー (Makuakeのみ)

② LP本文の掲載項目と順番 (⇒P.180) ─────────
権威付け・社会的証明
⇩
問題提起
⇩
親近感・共感
⇩
商品の特徴や機能・メリット
⇩
支援者のベネフィット
⇩
利用シーン提案
⇩
商品概要・スペック
⇩
保証
⇩
リターン紹介 (緊急性・限定性)
⇩
メーカー担当者紹介
⇩
Q & A
⇩
リスクとチャレンジ
⇩
プロジェクト実行者 (起案者) について

⚠ トップ画像（サムネイル）

トップ画像（サムネイル）はLPの命といえるほど重要です。トップ画像はLPの最上部に表示されるだけでなく、クラファンサイトの一覧表示画面にも使用されます（「プロジェクト一覧」「検索結果」「ランキング」「今日のおすすめ」など）。**図6-5**はMakuakeの例ですが、GREEN FUNDING、CAMPFIRE、machi-yaなどほかのクラファンサイトでも同様です。

図6-5　トップ画像

トップ画像の出来不出来で、支援者がクリックして先を見たくなるかどうかが決まります。 極端にいえば、いくらLPトップ以下の本文がよくてもトップ画像が悪ければ読んでもらえません。「これはなんだろう？」とクリックしたくなる画像が必要です。

> ▶ 画質が高い画像を使用し、目を引くようなデザインにする（画質が悪いと支援者の不信感や不安感につながる）
> ▶ 商品を使用している画像で支援者のイメージをかき立てる
> ▶ 文字を詰め込みすぎない。一目で文字が飛び込んでくるようにする。画像で伝えられることは画像で表現する
> ▶ 商品のPRポイントや支援者のベネフィットでもっとも優先して伝えたいことを表現する

175

私や私のクライアントが作成したトップ画像をいくつか紹介します（**図6-6**）。一目でどんな商品なのかがすぐにわかるトップ画像を作りましょう。その分、文字を詰め込むことはできませんが、伝えきれない点はタイトルで表現するようにします。

図6-6　成功したトップ画像の例

【ドイツから日本上陸】高品質 冷蔵冷凍クーラーボックス２０Ｌ　充電器で野外対応

365日これ一足！オールシーン・オールウェザー対応の超快適アクティブスニーカー

◆ 電子書籍・雑誌を読んでみよう!

技術評論社　GDP	検 索

 と検索するか、以下の QR コード・URL へ、パソコン・スマホから検索してください。

https://gihyo.jp/dp

1 アカウントを登録後、ログインします。
【外部サービス(Google、Facebook、Yahoo!JAPAN)
でもログイン可能】

2 ラインナップは入門書から専門書、趣味書まで 3,500 点以上!

3 購入したい書籍を 🛒 カート に入れます。

4 お支払いは「**PayPal**」にて決済します。

5 さあ、電子書籍の読書スタートです!

も電子版で読める!

電子版定期購読がお得に楽しめる!

くわしくは、
「Gihyo Digital Publishing」
のトップページをご覧ください。

🎁 電子書籍をプレゼントしよう!

Gihyo Digital Publishing でお買い求めいただける特定の商品と引き替えが可能な、ギフトコードをご購入いただけるようになりました。おすすめの電子書籍や電子雑誌を贈ってみませんか?

こんなシーンで…
- ●ご入学のお祝いに ●新社会人への贈り物に
- ●イベントやコンテストのプレゼントに ………

◉ギフトコードとは? Gihyo Digital Publishing で販売している商品と引き替えできるクーポンコードです。コードと商品は一対一で結びつけられています。

くわしい**ご利用方法**は、「**Gihyo Digital Publishing**」をご覧ください。

。

ーソフトのインストールが必要となります。
印刷を行うことができます。法人・学校での一括購入においても、利用者1人につき1アカウントが必要となり、

他人への譲渡、共有はすべて著作権法および規約違反です。

電脳会議

紙面版

新規送付の
お申し込みは…

電脳会議事務局　　　　　検索

検索するか、以下の QR コード・URL へ、
パソコン・スマホから検索してください。

https://gihyo.jp/site/inquiry/dennou

一切
無料！

「電脳会議」紙面版の送付は送料含め費用は
一切無料です。
登録時の個人情報の取扱については、株式
会社技術評論社のプライバシーポリシーに準
じます。

技術評論社のプライバシーポリシー
はこちらを検索。

https://gihyo.jp/site/policy/

技術評論社　　電脳会議事務局
〒162-0846　東京都新宿区市谷左内町21-13

『アメリカ射撃訓練用レーザーモジュール採用』本格派新感覚レーザーガンダーツゲーム

　なお、Makuakeでは新プロジェクトの場合、**図6-7**のようにトップ画像の下に「New！」の帯が入ります。帯で隠れてしまっては損なので、Makuakeではトップ画像の下部には文字を入れないことをおすすめします。

図6-7　Makuakeの「New！」の帯

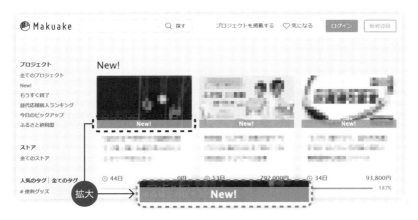

！ YouTube動画

　動画は商品の利用シーンや使い方、機能説明などをする際に重要になります。今は多くの人が手軽に動画を視聴しているので、LPの途中よりはトップ画像の位置に動画を挿入することが多いです（**図6-8**）。こうすればLPを読ま

ない人にも商品の利用イメージを伝えることができます。

　動画の果たす役割は大きいので、なるべくメーカーから動画素材を送ってもらうようにしてください。**海外メーカーの素材ですから、動画に日本語字幕が必要になることが多い**です。字幕を入れる場合は外注して作成してもらいましょう。

　動画の埋め込みは、まずはYouTubeに動画をアップロードして、YouTubeのリンクをプロジェクト編集用ページに入力すれば簡単にできます。

図6-8　トップ画像の位置に埋め込んだYouTube動画

再生ボタンを押すと
動画が再生される

178

ⓘ タイトル

　LPのタイトルは、トップ画像の次に支援者が目にする重要なキャッチコピーです。タイトルですから、クラファンサイトの一覧表示画面にも出てきます。**トップ画像と同じく、一目見て「これはなんだろう？」と思わせるタイトルにしてください。**主なコツを以下に挙げます。また、「10個のLP成功事例」をP.4の特典用QRコードからダウンロードできます。こちらも成功タイトル例として参考にしてください。

■ ターゲットを意識する

　特にP.169で明確にした支援者のニーズやベネフィットを織り込んだタイトルにしましょう。

■ ターゲットの悩みや望みに訴えかける言葉

　ターゲットの悩みや望みに訴えかけ、感情を刺激する言葉を使いましょう。専門用語や商品の特徴だけを伝えたタイトルでは訴求力が弱くなります。

■ トップ画像と違う訴求をしてインパクトを２倍にする

　タイトルでは、トップ画像では伝えきれないことを訴求して魅力を取りこぼしなく伝えるようにしましょう。トップ画像は視認性の点から、あまり多くの文字を詰め込むことはできませんし、タイトルにも文字数制限があります（**図6-9**）。両方とも制限があるなかでトップ画像とタイトルで重複するのはもったいないです。制限のなかで最大限魅力を表現しましょう。

図6-9　各クラファンサイトのタイトル文字数制限

Makuake	40文字
GREEN FUNDING	文字数制限なし（30 〜 50文字を推奨）
CAMPFIRE	40文字
machi-ya	40文字

※ 2022年11月時点

■ 商品名やブランド名、検索キーワードは削ってもいい

　タイトルには文字数制限があります。また、GREEN FUNDINGのように文字数制限がなくてもあまり長いタイトルでは支援者に読み取ってもらえませ

ん。そのため、やむを得ず商品名やブランド名、検索キーワードを削ることも
あります。特に検索キーワードは、検索して商品を探す支援者は少ないので省
略することが多いです。

　商品名は、商品のPRポイントが伝わる名称なら話は別ですが、優先すべき
は商品のベネフィットやPRポイント、支援者の悩みや望みです。商品名やブ
ランド名は、「余裕があれば入れたほうがいい」くらいに考えてください。

　これはトップ画像でも同じで、商品名は小さく表示するか、なしとすること
があります。図6-6（⇒P.176）のクーラーボックスはトップ画像、タイトルと
もに商品名がありませんし、アクティブスニーカーはトップ画像で商品名を小
さく表示しているだけです。

ⓘ ストーリー（Makuakeのみ）

　ストーリーとは、プロジェクトの概要を3つの箇条書きで簡潔に示した
Makuake限定の機能です（**図6-10**）。**ストーリーでは、LPの内容を要約し
たり、トップ画像やタイトルの文言を補完したりして商品の魅力を最大限に表
現するようにしましょう。**

図6-10　Makuake のストーリー機能

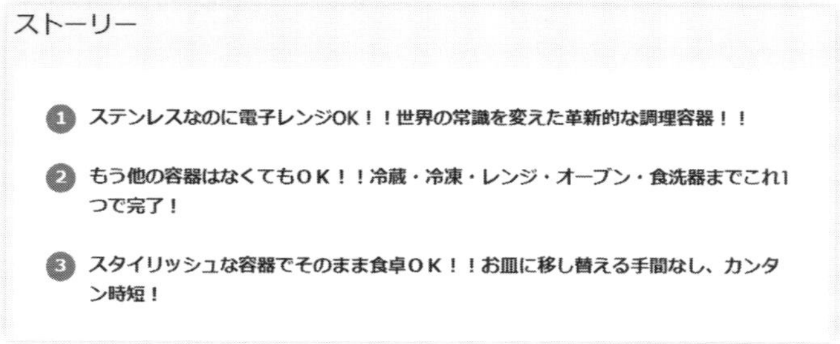

```
ストーリー

① ステンレスなのに電子レンジOK！！世界の常識を変えた革新的な調理容器！！

② もう他の容器はなくてもOK！！冷蔵・冷凍・レンジ・オーブン・食洗器までこれ1
   つで完了！

③ スタイリッシュな容器でそのまま食卓OK！！お皿に移し替える手間なし、カンタ
   ン時短！
```

---

6 5 支援が集まるLPの構成パターン
>>> LP本文

　トップ画像やタイトルができたら、次はLPトップ下のLP本文を作成しま
す。LPトップで表現したことを証明したり、より詳細に踏み込んだり、一貫
性のある内容に仕上げます。

⚠ 権威付け・社会的証明

過去の実績、強い肩書き、大手メディアでの紹介など、商品に権威性がある場合は大きな差別化要因になります（⇒P.80）。

主な掲載項目（図6-11、図6-12）
▸「海外で〇〇万円売り上げた」「〇〇人に売れた」など海外クラファンの実績
▸こんなメディアに取り上げられた
▸海外クラファンやAmazon.comなどのレビュー
▸家族や友人などの先行モニターに使ってもらった感想

　海外メーカーから仕入れるわけですから、海外のレビューがあります。LPの訴求に合ったレビューがあれば掲載しましょう。権威付けをLP本文の先頭にしましたが、インパクトがいまひとつであればLP本文の後半に掲載してもかまいません。逆に「海外で何千万円も売り上げた」「ハリウッドスターも使っている」「ノーベル賞受賞の博士が監修」「世界で数人しかいない職人が開発」など、パンチの効いた強い権威付けができるならトップ画像やタイトルで表現するのもありです。

Chap.
6

図6-11 海外クラファンや
　　　　　Amazon.comなどのレビュー

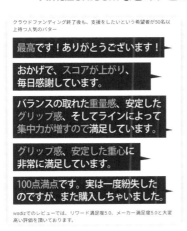

図6-12 海外クラファンの実績を
　　　　　トップ画像に掲載

⚠ 問題提起

　支援者の悩み（○○できない、○○に困る）、望み（○○したい）といった問題点を明確化する項目です。**図6-13**を見てください。このような形にまとめることで、支援者が悩みや望みを自分事と認識してくれるようになります。

図 6-13　問題提起の例

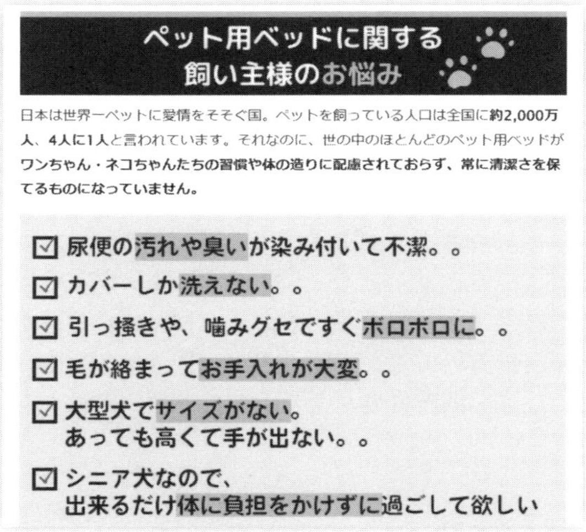

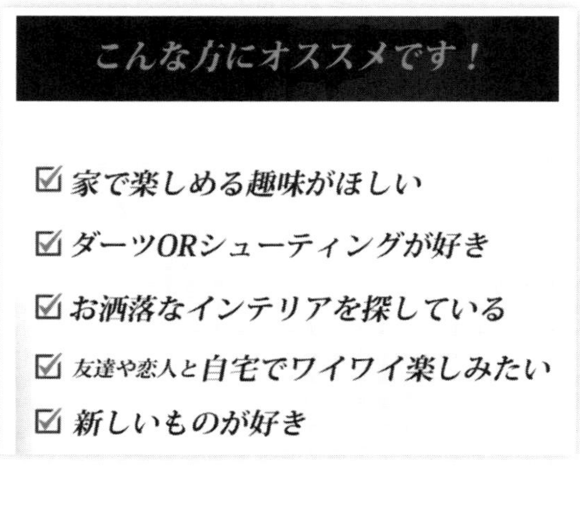

⚠ 親近感・共感

　問題提起によって明確化された問題点を、親近感や共感をもって伝える項目です。支援者に「問題の深刻さ」を理解してもらいます。**図6-14**の例のように、問題提起とそのあとの解決方法のつなぎに当たります。

図6-14　親近感・共感の例

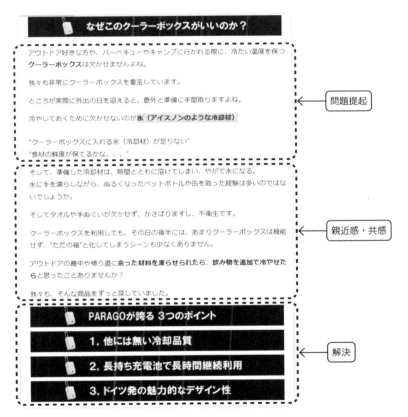

　ご自分の体験あるいは商品開発のきっかけもまじえると効果的です。起案者や商品の開発者も同じ悩みを持っていたことを共有し、それを解決することができた、とすることで共感を得ることができます。

⚠ 商品の特徴や機能・メリット

　問題点を明確にしたら、次は解決方法を提供します。商品の特徴に関することになりますが、商品スペックで終わるのではなく、P.169でまとめた商品のPRポイントを中心に魅力を紹介しましょう。

> ▶ 商品スペックを、得られるメリットとともに伝える
> ▶ 他商品との違い（比較表などで示すのも有効）
> ▶ 商品品質のエビデンス（検査機関の証明書など）

　支援者が理解できないような専門用語は避け、写真、動画、図、表を使って簡潔に表現するようにしてください（図6-15、図6-16）。特に動画やGIFアニメーションの素材があれば積極的に活用しましょう。GIFアニメーションは動く静止画像と呼ばれ、パラパラマンガのような表示が可能なものです。動画よりも軽い容量で簡易的に動きを表現できるので、クラファンLPでは重宝します。

図6-15　写真や図を使って商品の魅力をPR

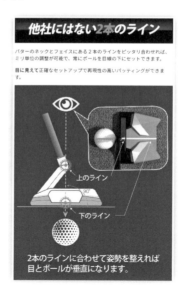

図6-16　一目で違いがわかる比較表

	Cuitisan 調理容器	プラスチック 容器	ガラス 容器	従来ステレン ス容器
電子レンジ	〇	〇	〇	×
オーブン	〇	×	〇	×
食洗器	〇	×	〇	×
軽さ	〇	〇	×	〇
変形・割れない	〇	×	×	〇

ⓘ 支援者のベネフィット

　支援者に、商品を使っているイメージや得られる未来像（ベネフィット）を提供します。未来像ですから、商品の使用前後を示したビフォーアフターを使うのもいいでしょう。もちろん、写真、動画、図などを使って表現します（**図6-17**）。

図6-17　ベネフィットを表現する例

Chap.
6

ア.ハンディータイプは、大容量で保存容器ではめったに見ない取っ手付きです。片手で持ち運び出来て、ピクニック、キャンプなどのアウトドア、持ち寄りのパーティーなどに大活躍!!

取っ手のついたハンディータイプは
持ち運びがカンタン♪

アウトドアでの食事

あの大型の倉庫店の丸焼きチキンにシンデレラフィット!ハンディーで楽々持ち運び、そのまま温めればできたての美味しさがよみがえります!!

あの大型の倉庫店の丸焼きチキンにシンデレラフィット!ハンディーで楽々持ち運び、そのまま温めればできたての美味しさがよみがえります!!

Handy typeは
大きな丸焼きチキンも
シンデレラフィットの大容量!!

⚠ 利用シーン提案

　支援者のベネフィット実現のために商品を利用するシーンを提案します。特に以下のように、はじめて使う人も無理なく、すぐに使えることを伝えられると理想的です。

▶ 持ち運びがとても楽

▶ くるりと丸めることができるので収納にも困らない

▶ 初心者の方でも簡単に操作できる

▶ 音が静かなので夜間の作業も問題なし

▶ 電子レンジやオーブンに入れて温めても大丈夫

▶ ○○のときでも十分使えるので便利

▶ お手入れは水で洗ってふき取るだけ

▶ 洗濯機で洗ってもOK

▶ 1回充電すれば○○時間使えます

　図6-18のように写真やGIFアニメーションを使うのも1つの手です。簡単な手順説明が必要なら1〜2分程度のYouTube動画にまとめるのも有効です。

図6-18　利用シーン提案の例

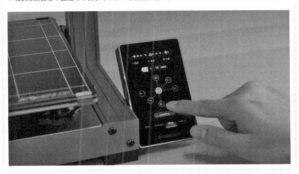

⑤ LCD 4.3″タッチパネルで直観的な操作が可能、初心者の方でも操作が簡単です！

Cambrianは独自に開発したコントロールシステムとユーザーインターフェイスにより、プラットフォームやプリンターヘッドの温度設定、プリントパラメータ設定、造形物のプレビューなどタッチスクリーンによるシンプルで直観的な操作が可能となりました。

＊現状は英語と中国語のみ表示ですが、ご支援お届けまでに日本語表示が可能となります。

⑥ データの読み込みはSDカードで行います。PCとのデータ交換はUSBインターフェイスのカードリーダを用意、初心者の方も簡単に操作できます！

Chap.
6

(!) 商品概要・スペック

　商品スペックは、サイズやカラーのバリエーションがあれば、**図6-19**のように支援者が悩まないような工夫を入れられると親切です。

187

図6-19　商品概要・スペックの例

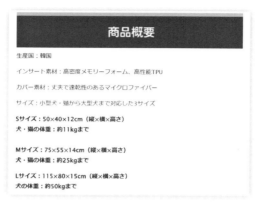

商品概要

生産国：韓国

インサート素材：高密度メモリーフォーム、高性能TPU

カバー素材：丈夫で速乾性のあるマイクロファイバー

サイズ：小型犬・猫から大型犬まで対応した3サイズ

Sサイズ：50×40×12cm（縦×横×高さ）
犬・猫の体重：約11kgまで

Mサイズ：75×55×14cm（縦×横×高さ）
犬・猫の体重：約25kgまで

Lサイズ：115×80×15cm（縦×横×高さ）
犬の体重：約50kgまで

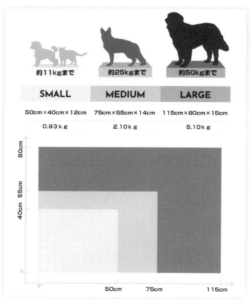

⚠ 保証

　商品保証の有無やその内容、保証期間について示します。以下のようなシンプルな記載で大丈夫で、このあとのQ&Aのなかに含めるのでもかまいません。

記載例

自然故障に限り、保証期間6カ月間でご提供いたします。
人為的な故障（落下、水没等）は保証の対象外になります。

⚠ リターン紹介（緊急性・限定性）

　リターン（返礼品）はバリエーションなどでは分けずに、割引率や販売個数によって分けるようにします（⇒P.144）。**割引率や二重価格表示（一般販売予定価格との比較表示）、リターンを受けられる人数が明確にわかるようにしてください（図6-20）**。「今買えばかなりお得。早く買わないとこの値段で買えなくなる！」と、緊急性・限定性をアピールして支援者の行動を喚起します。

図6-20　リターン紹介の例

⚠ メーカー担当者紹介

　メーカーの外観写真やロゴ、メーカー担当者の顔写真や簡単なプロフィールを掲載します（**図6-21**、**図6-22**）。どんなメーカーや担当者が、どんな想いで開発したかを示すことで商品に対する信頼性が向上します。他国での販売実績や海外クラファンの実績など、支援者をあと一押しする権威付けもまじえながら紹介してください。

図6-21　プロフィール（メーカーの外観写真）

図6-22　プロフィール（メーカー担当者の顔写真）

開発ストーリーの一環として、工場での製造工程や検査を紹介するのも有効です（**図6-23**）。職人が商品を丁寧に作り上げる過程を示すのもいいでしょう。作り手のこだわりや、さまざまな検査によって品質が確保されていることをPRできます。

図 6-23　検査の様子や製造工程を写真で紹介

こうして厳しい基準をクリアした商品が完成致します。
※写真は実際の工場の写真です。

ⓘ Q&A

　Q＆Aは、支援者が持っている疑問や不安に前もって回答する項目です。商品に興味を持ち真剣に購入を検討している支援者が、しっかり読むのがQ＆Aです。**商品に興味のある人が読む項目なのでLP本文の後半に掲載します。支援者の不安を解消できれば購入率が上がるのでQ＆Aは必ず入れましょう。**以下のようなポイントがあります。

- ▶ Q＆Aは最低でも6項目以上必要
- ▶ もととなる海外クラファンLPのFAQを参考にする
- ▶ 類似商品のLPのQ＆Aを参考にする
- ▶ これまでに伝えきれなかったことも書き、情報不足による離脱を防ぐ
- ▶ LPの他項目で説明した要点をQ＆Aに載せてもOK

　Q＆Aにはパターンがあるので、ご自分でテンプレート化したものを用意しておくのもいいでしょう。たとえば、以下のようなQは比較的よく掲載します。ただ、商品によって支援者が持つ疑問や不安は違いますから、ご自分の商品に合わせて取捨選択したり、類似商品のLPを参考にしたりしてください。

　また、Qに対するAは、なるべくポジティブなものにすると買わない理由を潰すことができます。たとえば「〇〇でも使えますか？」という問いに対して、単に「使えません」と回答するのではなく、「〇〇では使えませんが、△△ではご使用いただけます」と答えるなどです。

よくあるQ例────────

- ▶ 〇〇でも使えますか？
- ▶ 保証期間はありますか？
- ▶ 耐久年数はどれくらいですか？
- ▶ 連続使用時間と充電に必要な時間を教えてください
- ▶ サイズが合わなければ交換できますか？
- ▶ お手入れの方法を教えてください
- ▶ 洗濯はできますか？
- ▶ 使用上の注意点を教えてください

▶ 送料は別途かかりますか？
▶ 発送予定日までに引っ越しの予定ですが、どうすればいいですか？

⚠ リスクとチャレンジ

　事前に考えられるリスクや課題、対処方法などを掲載する項目です。訴求力にはほとんど関係ありませんが、MakuakeではLP本文とは別枠で記入欄が用意されており、500文字以内で記載しないといけません。とはいっても、**「リスクとチャレンジ」は商品に関わらずほとんど書くことが一緒なので、以下の記載例をアレンジすれば問題ありません。**

記載例

製造スケジュールについては、現在プロジェクト成功を想定した数で調整しておりますが、支援数が想定を上回った場合、製造工程上の都合や配送作業に伴うやむを得ない事情によりお届けが遅れる場合がございます。
※ 初期不良以外に関する返品・返金はお受けいたしかねます。
※ モニター環境によって画像の色が実物と異なって見える場合がございます。
※ 想定を上回る皆様からご支援をいただき、量産体制をさらに充実させることができた場合、販売価格が予定価格を下回る可能性がございます。
※ 並行輸入品が発生する可能性がございます。正規以外での個人輸入等は完全に防ぐことができない場合がある旨、あらかじめご了承のほどお願いいたします。
プロジェクトページに記載している内容に変更がある場合には活動レポートなどで共有を行っていく予定です。
　「○○○（商品名）」を手にとってくださった皆様に喜んでもらえるよう、チームメンバー一同心を込めて対応していきますので、応援よろしくお願いいたします。

⚠ プロジェクト実行者（起案者）について

　プロジェクトの実行者（起案者）が何者かわからなければ支援者は不安なので、最後に実行者の紹介も入れておきます。事業用ホームページに記載したこと（⇒P.49）をもとに簡単に記載しておきましょう。一度作ってしまえばコピペして使い回せます。もし可能なら実行者の顔写真や自社のロゴを入れられる

Chap.
6

と信頼性を高めることができます。

<h1>6 6 プロジェクトを成功に導く
LPの原理原則</h1>

　お伝えしたLPの構成は、過去のクラファンプロジェクトの成功事例に加え、以下の2つの考え方を軸としています。LP構成の型を身につけるだけでも十分大きな支援額を得られますが、以下の考え方も理解しておくとより販売力が身につきます。**クラファンに限らず一般販売のときにも活用できるので、ぜひ理解しておいてください。**

① 3つのNOT
——「読まない」「信じない」「行動しない」

　クラファンに限らず反応率の高いLPの基本構成はほぼすべて、以下の「3つのNOT」をもとにしています。「3つのNOT」とは、お客様の基本姿勢を示したもので、NOTの壁を越えてはじめて商品が購入されるという考え方です。

■ お客様は文章を読まない

　最初に越えないといけない壁は、「お客様は文章を読まない」というものです。自宅にチラシが届いて、あなたはチラシの内容を丁寧に読むでしょうか？即ゴミ箱行きでしょう。商品の宣伝や広告は、お客様に無視されるのが当たり前です。

　「読まない」壁を越えるためには、最初に目に入る文章や画像に興味を持ってもらわなければいけません。**クラファンLPで「読まない」壁を越えるのに重要な役割を果たすのがトップ画像とタイトル**です。トップ画像とタイトルが特に大事とお伝えしたのは、「読まない」壁を越える機能であるためです。「読まない」「信じない」「行動しない」でもっとも重要なことが「読まない」壁を越えることです。「読まない」壁さえ越えられれば購入率はかなり上がります。LPのなかでもトップ画像やタイトルは時間をかけて考えるだけの重みがあるものです。

■ お客様は文章を信じない

　LPを読んでもらえたとしても、お客様は簡単に内容を信じません。本能的に「うさんくさい」「だまされたくない」と考えます。また、詐欺ではなかった

194

としてもお客様は「期待どおりの商品なのか？」と不安を持っており、「もっと詳しく知りたい」と思っています。そのため、**信頼できるデータや実績、お客様の声などで応えていかないといけません。**クラファンのLP本文には「信じない」壁を越えるための項目がたくさんあります。

- ▶権威付け・社会的証明
- ▶商品の特徴や機能・メリット
- ▶支援者のベネフィット
- ▶利用シーン提案
- ▶商品概要・スペック
- ▶メーカー担当者紹介
- ▶プロジェクト実行者（起案者）について

　これらの項目はすべて、本当に支援者が満足できる商品であることを証明するために掲載します。

■ お客様は文章を読んでも行動しない（買わない）

　どんなによい商品と思っても、たとえば以下のような理由でお客様は商品を購入しません。

- ▶価格が高い
- ▶お得感がない
- ▶商品に対する疑問や不安が残っている
- ▶今すぐ買う必要がない
- ▶何を選んだらいいかわからない
- ▶送料など別の料金が発生しそう
- ▶すぐ壊れたらどうしよう

　お客様を迷わせたり、買わない理由があったりすると無意識に離脱してしまいます。クラファンのLPでいえば、買わない理由を潰し「行動しない」壁を越えるための項目は、「保証」「リターン紹介」「Q＆A」です。保証内容やQ＆Aで疑問や不安をなくし、リターンの紹介で「今すぐ買ったほうが得だ」と背中を押すのです。

⚠ PASONAの法則

　LPの構成を考えるときに参考になる、もう1つの考え方が「PASONAの法則」です。PASONAの法則は、お客様を購買行動へ誘導する重要なステップとされ、広告文の基礎といわれています。

■ Problem（問題）
「こんなお悩みはありませんか？」「こんな困り事がある方におすすめです」などの問題提起です。たとえば「肌荒れに悩んでいませんか？　それは洗顔料が原因ではありません」といった問題提起であれば、「そうなんだよ」「たしかに洗顔料を替えてもよくならないよね」などと受け取ってもらえればOKです。

■ Agitation（扇動）、Affinity（親近感）
　問題の深刻さを理解してもらうために、明確化された問題点を煽り立てるのが扇動です。もっとも、あまり不安や問題点を煽り立てるとネガティブな感情を喚起して支援者が不快感を覚え、購買意欲を削いでしまいます。
　そこで最近は、Agitation（扇動）がAffinity（親近感）に代わった「新PASONAの法則」が提案されています。問題の深刻さを理解してもらうのは同様なのですが、煽るのではなく共感や親近感を誘う方法です。起案者やメーカー開発者の体験などを通じて共感が持てる書き方をおすすめしたのは、これが理由です。

■ Solution（解決策）
　問題点を明確にしたうえで解決できる方法を伝えます。LP構成の70％を占める非常に重要な箇所です。解決策を理解してはじめて支援者の「ほしい」は高まります。先ほどの「3つのNOT」でいうところの「信じない」壁を越えることとも共通します。

■ Narrow down（絞り込み）
　早い者勝ちなど対象となるお客様を限定して、緊急性・限定性を演出し、「今買わないと！」と促します。LP本文のリターン紹介が該当します。

■ Action（行動）

最後に行動を呼びかけます。支援者の疑問や不安を晴らしてスムーズに購入にたどり着いてもらうことが行動です。

6 7 より効果的に支援を集めるためのポイント

ここまでお伝えしたことを実践すれば購入率の高いLPを作成できます。そのうえで以下に挙げる注意点も頭に入れてもらうと、取りこぼしなく支援者に興味を持ってもらい、さらに効果的に支援を集めることができるはずです。

⊙ 支援者はLPを"読む"のではなく"見る"

「3つのNOT」で「読まない」壁を越える話をしましたが、支援者はLPを本当に読みません。あなたも、おそらく小説やマンガのようにLPをじっくり読んだことはないでしょう。じっくり読んでから購入を決める人は少数派で、大多数の人はじっくり読みません。「読む」というよりは「見る」「眺める」「流し読む」と表現するのが適切です。LPはよく読まなくても、なんとなく内容をわかってもらうことが大切です。

流し読みの状態でも支援者に商品をざっくりと理解してもらうために、文字だけでなく、図や表、写真、GIFアニメーション、動画などを適度に散りばめます。**図6-24**のように、重要な箇所は画像のなかに説明文を入れると効果的です。

できれば、**問題提起や重要なメリットは、テキストではなくデザインで作り、文字を大きく表示することをおすすめします（図6-13⇒P.182、図6-15⇒P.184 参照）。また、テキストで書くところも、重要な部分は太字や赤字を使ったりマーカーを引いて強調しましょう。**

⊙ 項目の冒頭には必ず見出しを入れる

LPの各項目の頭には必ず見出しを作り、大きく示すようにしてください。見出しだけ拾い読みしても、ある程度の内容を把握できるようにするためです。最初からLPを全部読もうとする人はいません。**見出しや画像を見て、興味を持った人だけが興味を持った箇所だけをしっかりと読むイメージ**です。見出しによってメリハリをつけてください。

図 6-24　流し読みでも理解できるようにする

⚠️ スマホ向けになるべく文字は大きくする

　支援者の多くは、スマホでクラファンサイトを閲覧します。LPはPCではなくスマホを意識してデザインし、文字はできるだけ大きく表示するようにしましょう。LPが完成したあとに出来栄えをチェックする際はスマホの実機で確認するか、PCのGoogle Chromeでスマホ表示をして確認します（**図6-25**）。

図 6-25　Google Chrome でスマホ表示をする

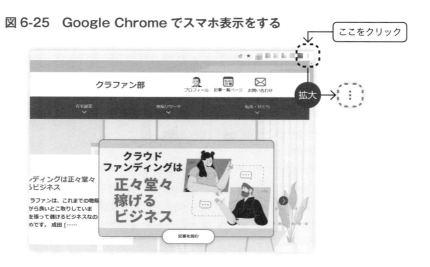

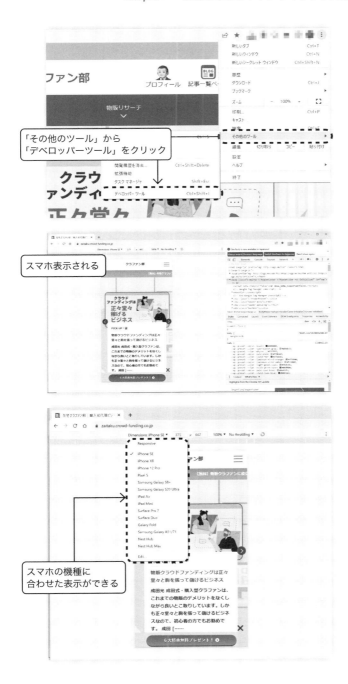

「その他のツール」から
「デベロッパーツール」をクリック

スマホ表示される

スマホの機種に
合わせた表示ができる

Chap.
6

ここをクリックするとスマホと
PCの表示切替ができる

⊙ 色は3色まで。統一感のあるデザインにする

　デザイナーにLPの制作を指示する際にはイメージするカラーも指定します。そのとき、あまり多くの色を指定しないようにしてください。**基本的に多くても3色（赤、黒、黄色など）までにして、LP全体で統一感を出すようにしましょう。**あまりカラフルにしすぎると素人くさくなってしまい逆効果です。

⊙ 数字に置き換える

　商品の機能やメリットは、以下のように数字を使って支援者のイメージができるだけ具体的になるようにします。大きい・小さい、多い・少ない、重い・軽いなどの表現にとどめるのはNGです。数字を心がけましょう。

容量20L　温度調整範囲10℃〜－22℃　5分で完了　3時間で充電
充電なしで最大10時間利用可能　ヨーロッパのシェア30%　10年かけて開発
サイズ50×40×12cm　重さわずか200g　Kickstarterで2,589万円の売上
支援者数5,497人　365日使える　100%防水加工

　サイズ感や重量など商品仕様に関しては、別のモノと比較したり、実際の使用感を伝えたりするのもいいでしょう。たとえばスマホと比較したり、実際にバッグやポケットに入れたりすることでサイズ感がリアルに伝わります（**図6-26**）。容量であれば、何がどれくらい入るのかわかりやすい例で示すと効果的です（**図6-27**）。

図6-26　商品をバッグに入れてサイズ感を伝える

図6-27　容量の目安を示す

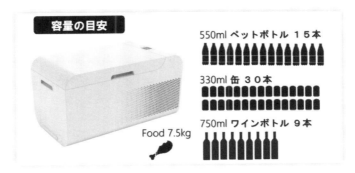

Chap.
6

⚠ 必要な情報を端折らない

　基本的に支援者はLPをじっくり読みませんが、だからといって必要な情報を省いて短いLPにするのは逆効果です。支援者は、最初は流し読みしますが、気になる箇所はピンポイントで読み込みます。商品の利用シーンやベネフィット、PRポイントは取りこぼしなく伝えるようにしてください。**1つでも支援**

者がほしいと思えるポイントがあれば、購入の確率は高くなります。情報量を少なくするのではなく、必要な情報を網羅して、それを簡潔に伝えるように心がけましょう。

⚠ 支援が集まったLPをストックしておく

　LPの成功事例をいくつかストックしておくこともおすすめです。特に物販クラファン初心者の方は、日ごろの商品リサーチの過程で印象に残ったLPのURLを保存しておくようにするといいでしょう。

　本書では、P.179で述べたとおり10個のLP成功事例をお渡しします。LP作成の参考にしてください。本書の内容を理解したうえで活用すれば反応率の高いLPが作成できると思います。また、できあがったLPをチェックするためのチェックリストもご提供します。LP成功事例とチェックリストは、どちらもP.4の特典用QRコードからダウンロードできます。

6 8 知っておきたい 広告規制に関わる法律

　LPを作成する際は広告規制に関わる法律に注意が必要です。なぜなら、購入型クラファンのLPも法律上は広告として定義されるからです。広告規制に関わる法律で代表的なのが**「景品表示法」**ですが、美容・健康系商品であれば**「薬機法」**にも注意しなければいけません。法律に抵触するような表現は当然できませんし、各クラファンサイトも法律に抵触するLPは審査を通しません。

　広告規制に関わる法律については、担当キュレーターもアドバイスや指摘をしてくれますが、ご自分でも最低限知っておいたほうがいいことがあります。

⚠ 景品表示法

　景品表示法は、大きく「優良誤認」（虚偽・誇大広告）と「有利誤認」（価格に関わる不当表示）に分けられます。クラファンでは特に注意しないといけないのがLPの表現に大きく関わる優良誤認です。景品表示法第5条1号では、商品・サービスについて**図6-28（1）・（2）**の表示をすることを禁止しています。違反すると最悪の場合、多額の課徴金を納付しないといけません。

　簡単にいえば虚偽・誇大広告で、消費者庁「景品表示法における違反事例

集」では図6-28に示すような例が紹介されています。

図6-28　優良誤認の例

（1）実際のものよりも著しく優良であると示すもの	・原材料、原産国が表記と違う ・撥水加工しているといいながら、撥水加工されていない ・200cc吸収といいながら、実際はできない ・60W形の明るさをうたいながら、実際はもっと暗い ・6〜10時間で充電といいながら、実際はできない
（2）事実に相違して競争関係にある事業者に係るものよりも著しく優良であると示すもの	・「この技術は日本で当社だけ」といいながら、日本唯一でなかった ・比較表で他社にはない性能といいながら、他社にある性能だった

　信用性に関わるため、このような虚偽・誇大広告といえる表現については各クラファンサイトもチェック体制を整えており、クラファンサイトから商品仕様や機能に関する検査記録などのエビデンスを求められることがあります。

　なお、比較表（⇒P.185）などで他社製品を引き合いに出した表現を比較広告といいます。「日本一」「世界一」「No.1」「世界初」「第一人者」「最高峰の技術」「最優秀」「日本唯一」「この商品だけ」といった最上級表現も比較広告に含まれます。比較広告自体は景品表示法に違反するものではないですが、エビデンスを求められることがあるので注意してください。また、比較表は、他社商品名や企業名を明かし、誹謗中傷しているような印象を与えるものは掲載できません。

⚠️ 薬機法

　薬機法はP.94でも触れました。薬機法の輸入規制は厳しく、薬機法の対象となる化粧品やサプリメント、医療機器は扱うことがほぼ不可能です。それ以外に一部の雑貨品でも薬機法が関わる場合があり、特に美容・健康関連商品は薬機法に気をつけなければいけません。

　具体的には以下のように病名や症状に対する効果効能をうたうと薬機法（薬機法第66条）違反になります。つまり、医薬品や医療機器であると消費者の誤解を招くような表現はできません。

ガンが治る　コロナ予防に　付けるだけなのに1カ月で10kgやせる
血液がサラサラになる　病院や整体院に行かなくても肩こりが治る
肌のくすみやしわが消えた　不眠症が改善

　また、効果効能という点では、以下の言葉はほぼLPでは使えないので注意
してください。「バストアップ ➡ バストケア」「アンチエイジング ➡ エイジン
グケア」など別の言葉に言い換えれば基本的にOKですが、その場合もエビデ
ンスを求められることがあります。

薬機法上のNG表現例
メタボ　バストアップ　アンチエイジング　記憶力向上　殺菌　免疫力アップ
視力アップ　疲労回復

Chapter

7

クラファン成功者の
プロジェクトの
裏側を公開

クラファン成功者の
プロジェクトの裏側を公開

クラファンサイトに出品申請をして、LP の審査もパスしたらプロジェクトが始まります。成功するプロジェクトは、支援が得られるまでただ待っているわけではなく、裏側ではさまざまな打ち手を講じています。本章では事前集客やプロジェクト期間中の広告施策など、支援を最大限に伸ばすための対策をお伝えします。

7 1 スタートが一番大事！
期間中は３つの波がある

　物販系のプロジェクトでは、プロジェクト期間を約１カ月〜１カ月半くらいに設定することが多いです。クラファンのプロジェクト期間中は大きく分けて３つの波があるといわれています。それが、**「スタートダッシュ」「中だるみ」**
「ラストスパート」の３つです（**図7-1**）。

図 7-1　プロジェクト期間中の３つの波

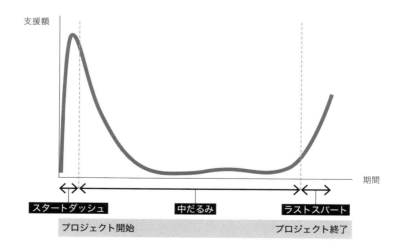

① スタートダッシュ

プロジェクト期間中でもっとも支援を集めやすい時期が、プロジェクト開始直後のスタートダッシュです。特にプロジェクト開始から1週間が大事な時期で、スタートダッシュでどれだけ支援を集められるかが成功・失敗を大きく左右します。初動で大きな支援が得られれば、以下のような効果で、ますます支援が得られやすくなります。逆に初動で乗り遅れると、中だるみ以降で巻き返すことが難しくなります。

> ▶ 売れている商品ほど人はほしくなる（バンドワゴン効果⇒P.145）
> ▶ サクセスバッジがつくので賑わい感を演出できる
> ▶ ランキング上位などトップページに掲載されやすくなる
> ▶ メルマガ（ニュースレター）で紹介されやすくなる（ただしCAMPFIREと
> machi-yaは有料での掲載）
> ▶ クラファンサイト提携のWebメディアに掲載されやすくなる
> ▶ テレビや雑誌などから掲載依頼がある

スタートダッシュで大きな支援を集めるための対策が不可欠で、プロジェクト開始前から準備しておく必要があります。スタートダッシュの主な対策としては、事前集客（⇒P.208）、プレスリリース（⇒P.242）、メディア掲載依頼（⇒P.244）があります。特に事前集客はスタートダッシュ対策で重要なので、詳しくお伝えします。

① 中だるみ

中だるみは、スタートダッシュを過ぎてから終了直前のラストスパートまでの期間を指します。約1カ月半あるプロジェクト期間のうち、開始約1週間後から終了約1週間前を指し、もっとも長い期間となりますが、「中だるみ」という名のとおり、もっとも支援を集めにくい時期です。

ただ、中だるみ期間でも、さまざまな打ち手を講じることで集中力を切らさず支援を伸ばした事例もあります。特にスタートダッシュに成功した場合はバンドワゴン効果で支援を集めやすくなるので、さまざまな施策を講じる余地があります。ただ、広告予算の上限（目標広告費率15～20%程度⇒P.153）は

Chap.7

考慮してください。

⚠ ラストスパート

　プロジェクト終了前のラストスパートは、駆け込み需要が期待できるのでスタートダッシュに次いで支援を集めやすい時期です。「まだ1カ月くらいある」「あと1日しかない」で、どちらが購入を促せるかといえば明らかに後者です。ラストスパートは、「今すぐ買わないといけない」状況を作り出すことができます。

---

7 2 スタートダッシュを決めるための 事前集客❶ >>> 全体概要

　本書での事前集客とは、主にSNS広告経由でティザーLPにアクセスを集め、LINEに登録してもらう施策を指します。ティザーLPは、Chapter 6で作成したクラファンLPのボタンをLINE登録ボタンに変えたものです。ティザーは、新商品を予告して発売前から興味を持ってもらうという意味です。LINEに登録してもらったら、プロジェクト開始まで購入を促すメッセージを送信しつつ見込み客との信頼関係を構築します。

　ティザーLP経由でLINEに登録した人はプロジェクトの濃い見込み客となり、商品にもよりますがプロジェクト初日からLINE登録者の購入率（CVR）は5〜15%となります。仮にCVRが10%だった場合、500人のLINE登録があれば、プロジェクト初日に50人から支援が得られる計算になります。

　事前集客はタスクこそ増えますが、**「クラファンはスタートダッシュが命」**なので非常に有効な施策です。以前は事前集客がなくても支援を得られていましたが、プロジェクト数の増加に伴い、最近は事前集客がないと成功が難しくなっています。そのため、基本的にはすべてのプロジェクトで事前集客をおすすめします。ティザーLPは、Chapter 6で作成したクラファンLPを少し改良するだけでOKです。もちろん、事前集客も費用を決めて行い、行ってから改善して反応を高めていくことが大切です。

⚠ 事前集客のスケジュール感

　事前集客は、プロジェクト開始前に計画的に実施しなければいけません。余裕を持った事前集客のスケジュール感は、おおむね**図7-2**のとおりです。

　ティザーのスケジュール感は、プロジェクト開始前約１カ月を見込むといいでしょう。

図7-2　事前集客のスケジュール感

ティザーLP作成	クラファンLPとほぼ同じ構成なので、クラファンLP作成と同時に着手
SNS広告開始	プロジェクト開始１カ月前
LINE配信開始	プロジェクト開始10日前

　LINEは、10日前から始めて１日１通配信するのであれば10通配信となります。配信例はP.227で詳しく紹介します。なお、LINEはプロジェクト開始後も活用します。

⚠ スタートダッシュの目標値

　MakuakeやGREEN FUNDINGは、スタートダッシュで支援を集めるとトップページに掲載されやすくなります。そのため、特にプロジェクト初日はクラファンサイトのトップページに掲載されるくらいの支援を目指します（**図7-3**）。

図7-3　支援が集まるとトップページに掲載される（Makuake の例）

Chap.
7

　図7-4に示すトップページの各項目に掲載されれば、ますます支援が集まる状態を作り出すことができます。**目安は、プロジェクト初日で100万円以**

上の支援が得られること。それを目標とします。ただし、ランキングはタイミングによって100万円以下でも掲載されることもあれば、200〜300万円が必要なこともあります。また、ランキングの基準も**図7-5**に示すように金額で決まる場合と支援者数で決まる場合があるので、細かく目標値を定める際は注意してください。

図7-4　トップページに掲載される主な項目

Makuake	今日のピックアップ、今日のランキング、注目のリターン、Makuakeブログ
GREEN FUNDING	ランキング、スタッフおすすめプロジェクト、達成したプロジェクト
CAMPFIRE （machi-yaも含む）	スタッフ推薦のプロジェクト、人気のリターン ※ CAMPFIREは広告掲載が多い

※ 2022年11月時点

図7-5　MakuakeとGREEN FUNDINGのランキングの基準

Makuake	前日の支援金額の上位10位まで ※ Makuake公表の基準による
GREEN FUNDING	過去24時間の支援者数の上位4位まで ※ 推測値

※ 2022年11月時点

⚠ 基本はSNS広告とLINE登録者リストで拡散する

　事前集客では、「**SNS広告 ➡ ティザーLP ➡ LINE**」という流れで見込み客を集めるのが基本です。広告以外では、個人で運用するFacebook、Instagram、Twitterなどで拡散してフォロワーに買ってもらう方法もありますが、この方法はコストがかからず手軽に試せるものの、やらないよりはやったほうがいい程度で効果は限定的です。フォロワーとクラファンの属性がマッチしなければ、ほとんど支援は見込めないと考えてください。

　すでに物販クラファンの経験がある方であれば**LINE登録者のリストに告知するのも有効**です。特に次世代モデル商品などの継続商品や同じブランドの商品であれば支援される可能性が高いです。一方で物販クラファン初心者の方は、LINE登録者リストがない状態ですので、SNS広告の重要性がますます高くなります。

7 3 スタートダッシュを決めるための 事前集客❷ >>> ティザー LP

「スタートダッシュが命」のクラファンでは、事前集客はとても重要です。ティザー LP、SNS広告、LINE配信についてさらに踏み込んでお伝えします。まずはティザー LPですが、Chapter 6で作成したクラファンLPとほとんど変わらないので、作成自体は楽にできます。

ⓘ ティザー LPとクラファンLPの違い

　ティザー LPは、クラファンLPの内容をもとに作成しますが、**図7-6**に示すように必要となる掲載内容に違いがあります。簡単にいうと、**ティザー LPは利用シーンやベネフィット、商品概要だけ紹介し、LINE登録ボタンを設置するイメージ**です。事前集客でもっとも重要なのは、商品に興味を持ってもらいLINEに登録してもらうことです。そのため、購入を促す後半の項目（リターン紹介など）は省略しても問題ありません。

図 7-6　ティザー LP とクラファン LP の掲載内容の違い

	ティザー LP	クラファンLP
LPトップ	○	○
権威付け・社会的証明	○	○
問題提起	○	○
親近感・共感	○	○
商品の特徴や機能・メリット	○	○
支援者のベネフィット	○	○
利用シーン提案	○	○
商品概要・スペック	○	○
保証	△	○
リターン紹介	×	○
メーカー担当者紹介	×	○
Q & A	△	○
リスクとチャレンジ	×	○
プロジェクト実行者について	△	○
LINE 登録ボタン	○	×

Chap.
7

⚠ LINE登録ボタンの設置場所と、その内容

　ティザーLPで新たに必要な項目は基本的にはLINE登録ボタンだけです（**図7-7**）。リターン紹介の項目をLINE登録ボタンに差し替えるイメージで、以下の点を心がけます。

> ▶ボタンは3つ程度で、「上部（トップ直下）」「中間」「最下部」の3箇所に設置する
> ▶固定追従ボタン（画面をスクロールしても追従するボタン）を設置するのもあり（**図7-8**）
> ▶プロジェクト開始時期（先行予約販売開始時期）と、早期割引価格で購入できることを周知する
> ▶スマホで見たときに小さすぎるボタンはNG
> ▶ボタンはLINE登録をイメージできるように作成する
> ▶「いつでもブロックできます」など、登録のハードルを下げる一言を加える

図7-7　LINE登録ボタンの例

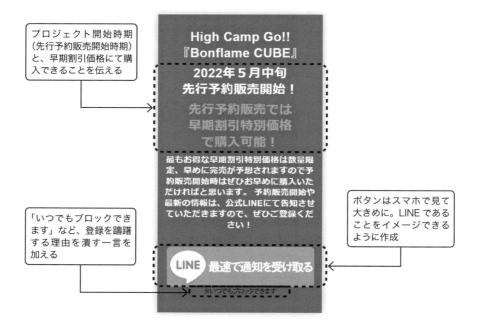

図 7-8　固定追従ボタン

画面をスクロールしても追従する、固定追従ボタンを設置するのもあり

⚠ 必要に応じてメールアドレス登録ボタンも設置する

　必須ではありませんが、メルマガの配信も予定している場合は、LINE登録ボタンと一緒にメールアドレスの登録ボタンも設置します（**図7-9**）。

図 7-9　メールアドレス登録ボタン

Chap.
7

メルマガを配信するのは、LINEを使わない人もいるためです。また、なんらかの理由でLINEアカウントが停止されたときのリスクヘッジにも使えます。メルマガの配信内容はLINEと一緒で問題ありません。

　メールアドレスを取得する際は、**図7-10**のようにメールアドレス登録後にLINE登録も促すサンクスページを作るようにしましょう。メールもLINEも両方登録してもらえる可能性が高くなります。

図7-10　サンクスページの例

　ただし、今ではLINEのアカウントを持っていない人は少数派で、不正利用がなければアカウント停止のおそれもほぼありません。メールアドレス登録ボタンを設置することでLINEの登録が減ってしまうデメリットがあり、またメルマガスタンドの管理など手間も増えてしまいます。そのため、**メルマガの配信は必須ではありません。**

ⓘ ティザーLPの作成はWordPressがおすすめ

　ティザーLPは、WordPressで作成することをおすすめします。 WordPressの経験がない方は、**「ペライチ」「Strikingly」** などを活用する手もあります。ペライチ、Strikinglyは、簡単な操作でスマホ・PC両方に対応したデザイン性のあるLPを作成できるツールです。

　ただ、ペライチ、Strikinglyの無料版は機能面でさまざまな制約があり、広告（「POWERD BY ペライチ」の表示など）非表示にしたいなら有料版に切り替えないといけません（**図7-11**）。ティザーLPは、WordPressのブログ投稿画面を使えば比較的簡単に作ることができますし、一度慣れてしまえばWordPressのほうが使い勝手がいいです。なお、事業用ホームページと同様に、ドメインは「お名前.com」か「ムームードメイン」、レンタルサーバーは「エックスサーバー」か「ロリポップ！」で問題ありません。

図7-11　WordPress、ペライチ、Strikingly の比較

	WordPress	ペライチ	Strikingly
独自ドメインの設定・管理	○（無料）	△（有料）	△（有料）
広告非表示	○（無料）	△（有料）	△（有料）
帯域制限	○（なし）	○（なし）	△（制限なしは有料）
操作性	△（テーマによる）	○	○
スマホ対応	○	○	○
Google Analytics の導入	○	○	○
タグの挿入※Facebook広告の効果測定用	○（無料）	△（有料）	△（有料）
ヒートマップ	○	△（Ptengineのみ）	×

※ 2022年11月時点

　なお、自社ECサイトで商品の一般販売を見据えている方は、「Shopify」や「BASE」などのツールでLPを作成するのも1つの手です（⇒**P.274**）。その場合は、クラファンプロジェクトが終了し一般販売する段階になったら、LINE登録ボタンを商品購入ボタンに変更するようにしましょう。

■ WordPressのおすすめテーマ

　WordPressでティザーLPを作成する場合は、簡単にLPを作成できる「テーマ（テンプレート）」を選ぶようにしてください。一例を挙げると「AFFINGER」がおすすめで、特にデザイン済みデータを使えばはじめての方でも簡単にLPを作成できます（**図7-12**）。有料のテーマ（「AFFINGER6」で税

込1万4800円）ですが、1回購入してしまえば何度も使い続けることができます。操作性が非常によく、WordPressに慣れていない方でも簡単に使えます。

図7-12　AFFINGER

■ WordPressのおすすめプラグイン

WordPressの「プラグイン」は、WordPressの機能を拡張するための便利なツールで、目的によって必要なものが変わってきます。ティザーLPの作成には、**図7-13**のプラグインをおすすめします。なお、ティザーLPはSEO（検索エンジン最適化）対策をするわけではないので、SEOに関するプラグイン（「All in One SEO Pack」「XML Sitemaps」など）は不要です。

図7-13　ティザーLPにおすすめのWordPressプラグイン

Akismet	スパムコメント防止用
Advanced Editor Tools（旧TinyMCE Advanced）	アイコンを追加して簡単に投稿ができる
Classic Editor	旧式のエディタを使用する場合に必要 ※ 長年WordPressを使っている人向け
Facebook for WordPress	Facebook広告の効果測定用
Mailchimp for WordPress	メールアドレスも取得し、メルマガスタンドに「Mailchimp」を利用する場合に必要
Insert Headers and Footers	ヘッダーやフッターを簡単に編集できる
Elementor	ドラッグ＆ドロップで簡単にサイトを構築できる

ⓘ ティザー LP でおすすめの分析ツール

ティザー LP を作成する際は、以下のツールを使ってティザー LP の効果測定ができるようにしておくのがおすすめです。計測したことをティザー LP の改善に活かします。**改善した内容は、クラファンの本番で使うクラファン LP にも反映することで、より商品の購入率を高めることができます。**

■ Google Analytics

「Google Analytics」は、無料でさまざまな分析を行うことができるもっともメジャーなツールです。ティザー LP で必要な機能は、主に「CV（コンバージョン）計測」です。CV 計測は、LINE 登録者の数を計測します。

SNS 広告がクリックされているのに全体的に LINE 登録の反応が悪い場合はティザー LP の改善が必要となります（特にトップ画像）。複数設置した LINE 登録ボタンのそれぞれで数値を計測して、全体の登録数を確認してください。また、メールアドレスも取得する場合はメールアドレス登録数の計測も必要です。WordPress、ペライチ、Strikingly いずれも CV 計測の設定方法は、さまざまな Web サイトで手順が解説されているので、そちらを参考にしてください。

CV 計測するボタン
- ▶ LINE 登録ボタン（上部、中間、最下部、固定追従ボタン）
- ▶ サンクスページ用 LINE 登録ボタン（メールアドレス取得の場合のみ）
- ▶ メールアドレス登録ボタン（メールアドレス取得の場合のみ）

Chap.
7

■ ヒートマップ解析ツール

ヒートマップ解析ツールは、LP に流入してきたユーザーが、どういう動きをして閲覧しているかを可視化できるツールです。ヒートマップで確認できることは大きく以下の 3 つです（**図7-14**）。

① 熟読エリアの確認

ユーザーが、どの部分に興味を示して熟読しているかを把握することができます。じっくり読まれている箇所は赤く、濃く表示され、読まれていない箇所は青く、薄く表示されます。赤い箇所は詳しく記述し直したり、青い箇所は削除したりして LP の改善に活用します。

② スクロール率の確認

基本的にLPは上から下にスクロールしながら閲覧され、途中で離脱されます。クラファンのLPは、最下部までのスクロール率50%くらいを目安として、これを大きく下回る場合は改善が必要なことがあります。途中で大きく離脱されている箇所を把握して、構成を並べ替えたり項目を削除したりします。

③ クリックやタップ位置の確認

ユーザーがどこをクリック（あるいはタップ）したかを把握します。クリック（タップ）された箇所は図7-14のようなマークが付きます。

図7-14　ヒートマップ解析ツールで確認できること

熟読エリア　　　　　スクロール率　　　クリック・タップ位置

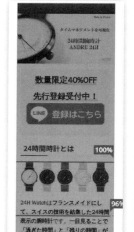

ヒートマップ解析ツールはさまざまありますが、海外のツールが比較的安価に導入できます。また、無料お試し期間のあるツールもあるので試してみるといいでしょう。やや中上級者向けのツールで必須ではありませんが、LPの反応を可視化でき、どこを改善したらいいか手がかりを提供してくれます。

① LPの読み込み速度に気をつける

ティザーLPを作成したら、スマホで読み込み速度を確認します。極端に読み込み速度が遅いと、それだけで離脱要因になってしまいます。読み込みが遅い場合は、容量の大きい画像を圧縮するなど対策してください。

① 迷ったらティザーLPでA/Bテストをしてみる

A/Bテストは、LPの特定の項目だけを変えた複数のパターンを用意してユーザーの反応を確認する方法です。たとえばトップ画像だけを変えてLP本文は一緒のパターンを2つ用意し、どちらの反応がいいかテストします。

実際にLPを作成していると複数のパターンを思いつくことがあり、特にトップ画像は何種類か候補が出てくることがあります。その場合はティザーLPでA/Bテストをしてみるといいでしょう。**いい反応が得られたパターンを本番用のクラファンLPで採用すると、より支援を得られやすくなります。**

複数のパターンを作成するのは手間がかかるので、必須というわけではありません。しかし複数思いついた場合は、あれこれ悩む前にパターンを複数作ってみて実際の反応を見たほうが早いこともあります。ティザーLPは見込み客を集めるだけでなく、リアルな反応を確認する材料としても活用できます。

7 4 スタートダッシュを決めるための事前集客❸ >>>SNS広告

Chap. 7

ティザーLPに誘導するための広告は、主にFacebook広告（＆Instagram広告）を使うことで問題ありません。Instagram広告は、Facebookのアカウントさえあれば同時出稿ができるので、本書では「Facebook広告＝Facebook広告＆Instagram広告」と考えます。Facebook広告の主な配信先は**図7-15**のとおりです。

Facebook広告をおすすめする理由は以下のとおりで、物販クラファンでもっとも相性がいい広告といえます。資金に余裕がある方はTwitter広告も有効ですが、Facebook広告に比べてターゲティング精度で劣るので優先度は高くありません。

> ▶ Facebook ユーザーは比較的、物販クラファンのターゲット層に近い
> ▶ Facebook 広告＆Instagram 広告は鬱陶しくなく、目にとまりやすい
> ▶ 適切なターゲットに広告が届きやすい
> ▶ Facebook ユーザーはネットでの購入温度感が高い
> ▶ 検索キーワードのない新商品と親和性が高い

図 7-15　Facebook 広告の主な配信先

Facebook広告	・タイムライン ・ストーリーズ ・Facebook Messenger ・ホーム画面右側（PC のみ）
Instagram広告	・タイムライン ・ストーリーズ ・発見タブ （虫眼鏡のアイコンをタップしたときに表示される画面）
Audience Network	Facebook と提携しているスマホアプリ、スマホサイト

① Facebook広告を始める前の準備

　Facebook 広告を始める前の準備についてポイントを解説します。本書では詳しい設定方法は割愛しますが、設定方法はさまざまなWeb サイトで紹介されているので、そちらを参考にしてください。仕様がコロコロ変わりますから、なるべく最新の情報を参照するようにしてください。

■ 個人のFacebook アカウント

　Facebook 広告を出稿するためには、まずは個人のFacebook アカウントが必要です。しかしビジネスマネージャに登録しておけば、個人のFacebook アカウントではなく、商品名やブランド名で作成したFacebook ページで広告を運用できます。**そのため副業中の方が広告を出したことで副業が会社にバレることはないので安心してください。**

　なお、最近ではFacebook をアクティブに利用していないと、ビジネスマネージャやFacebook ページのアカウントが停止されることがあります。ポリシーに違反しているわけでもないのに停止されることがあり、おまけに場合によっては異議申し立てをしても復活できません。これは、Facebook 側でビジネスマネージャと紐づけた個人アカウントの信用度がないと判断されてしまう

からです。不正利用や詐欺が増えたことで、Facebook側が厳しくジャッジしていると考えられます。

　とはいえ、**すでに個人アカウントを持っている方は一般的な使い方をしていれば停止される可能性はほとんどありません。注意したいのはFacebookを始めたばかりの人や、これから始める人**です。Facebook初心者の方は以下の点に注意し、普段から利用する習慣をつけることをおすすめします。

> ▶ PCではなくスマホのFacebookアプリからアカウントを作成する（詐欺アカウントのほとんどがPCで大量にアカウントを作成しているため）
> ▶ 重要な変更をするときは、いつもと違うIPアドレスを使わない
> ▶ SMS認証と2段階認証をONにする
> ▶ プロフィール写真は本人写真であること
> ▶ アカウントの名前はなるべく身分証と一致させる
> ▶ たまに投稿する
> ▶ 友人のみの公開範囲でいいので、自分が映った写真をたまに投稿する
> ▶ 友人の投稿にいいね！をしたりコメントしたりする
> ▶ 身近な友人や親戚、交流のある人に友達申請をする
> ▶ やみくもに友達を増やさない。明らかに知らない人とつながるのはNG

■ ビジネスマネージャの登録

　ビジネスマネージャは、Facebook広告とその運用状況を一元管理したりデータ分析したりする機能です。**個人のアカウントではなく、商品名、ブランド名、会社名などで広告出稿するのであればビジネスマネージャの登録は必須**です。ビジネスマネージャの登録は、さまざまなWebサイトで紹介されているので詳しくはそちらを参考にしてください。

Chap.
7

■ Facebookページアカウントの作成

　Facebookページアカウントは、基本的には1ブランド1ページで作るようにします。ただし、同じブランドの商品や同じシリーズの商品であれば、同じFacebookページを引き続き使っても大丈夫です。

■ Instagramアカウントの作成

　Facebookのアカウントがあれば Instagram広告も同時に出稿できるので、Instagramのアカウントは必須ではありません。しかし、Facebook広告を使

うならInstagramのアカウントも１ブランド１つを目安に作成しておくことをおすすめします。SNS広告を見てLINE登録はしないものの、FacebookやInstagramのページにいいね！をしてくれる人が一定数いるためです。**いいね！をしてくれた人にアプローチすると効果的なことがあります。**

　たとえば**図7-16**のステンレス製の調理器具であれば、以下のような人がいいね！をしてくれた場合は必ずメッセージ付きでフォローします。

> ▶料理教室の先生
> ▶お花の先生
> ▶インテリアデザイナー教室の先生
> ▶フォロワーの多い料理人や飲食店

図7-16　ステンレス製調理器具のInstagramアカウント

　メッセージは、「いいね！ありがとうございます。〇〇さんの△△のページ素敵ですね。グッときましたので、ぜひフォローさせてください」と簡潔なものでかまいません。影響力のある人がフォロワーになってくれると、それが彼

らのフォロワーに伝わり、さらにフォロワーを増やせます。図7-16の調理器具の場合は、フォロワーを0から600人まで増やすことができました。その結果、LINE登録者以外でも見込み客を増やすことができ、1日で152万円の支援につながっています。

⚠ Facebook広告の出稿

　個人アカウント、ビジネスマネージャ、Facebookページを用意したら、Facebook広告を出稿します。Facebook広告にはさまざまな設定がありますが、基本はFacebookにお任せする設定がおすすめです。

■ キャンペーンの作成
　Facebook広告のキャンペーン（どこに最適化して広告表示するのか設定する）の種類はたくさんありますが、**基本的に「コンバージョン」か「トラフィック」で作成してください**（**図7-17**）。特に事前集客では、広告がクリックされることよりLINEに登録してもらうことが大事なので、コンバージョンで作成することをおすすめします。

図 7-17　コンバージョンとトラフィック

コンバージョン	LINE登録する人の属性に最適化して広告を表示
トラフィック	広告をクリックする人の属性に合わせて広告を表示

■ 広告セットの作成
　キャンペーンを作成したら広告セットを作成します。広告セットでポイントになるのは「オーディエンス」「ダイナミッククリエイティブ」「配置」「予算と配信期間」です。

① オーディエンス
　オーディエンスは、適切にターゲット設定をして広告を配信する機能で、主に「コアオーディエンス」「カスタムオーディエンス」「類似オーディエンス」の3種類があります。
　もっとも、**Facebookは機械学習を最大限活用し、広告を効率的に運用するように設計されています。**基本的には「コアオーディエンス」で細かい設定をすることなく、運用と最適化をFacebookのAIに任せることをおすすめします。

② ダイナミッククリエイティブ

　広告で使うテキストや画像を設定することで、オーディエンスに合わせて自動で最適化する機能です。**基本的には「オン」がおすすめ**です。

③ 配置

　広告の配信先の選択で、「自動配置」と「手動配置」があります。手動配置では、図7-15（⇒P.220）に示した配信先を細かく設定でき、自動配置はパフォーマンスの高い配信先を自動的に予測して配信します。**手動配置はかなり上級者向けの方法なので、よほどの理由がない限りFacebookにお任せの自動配置を選択するようにしましょう。**

④ 予算と配信期間

　Facebook広告の1日あたりの予算と、広告の開始日、終了日を設定します。ご自分の事前集客にかける予算に応じて設定するようにしてください。ただし、1日3,000円以上は設定することをおすすめします。

■ 広告クリエイティブの作成

「クリエイティブ」は、テキスト、画像、動画などの広告素材のことで、クリエイティブの出来がFacebook広告のクリック率を大きく左右します。以前は画像中のテキストを20%未満に抑えないといけない「20%ルール」がありましたが、現在は撤廃されています。とはいえ、**LPのトップ画像と同様に文字を詰め込みすぎず、映え感のある画像を使ったほうがクリック率は高くなります。**

　LPのトップ画像で使った画像や、利用シーンやベネフィットが伝わる画像からクリエイティブを作成します。すでにある画像を使ったほうが楽ですし、クリエイティブとティザーLPで乖離がないほうがベターです。ただし、Facebook広告の画像サイズは、Facebookが推奨している1,080×1,080px以上の正方形サイズにします。

　広告用の画像を3種類ほど用意して、A/Bテストによってクリック率（CTR）が高く、クリック単価（CPC）の低いクリエイティブを残しましょう。商品によっては動画のクリエイティブもいいですが、クリック率が画像より下がるというデータもあるので無理に作成する必要はありません。

　また、他人が作った事前集客用の広告は、なかなか探そうと思って探せるものではありません。もし偶然見つけたらチャンスです。ティザーLPやクリエイティブを見て、どのように運用しているか参考にしましょう。本書でお伝えしたことを理解していれば、どの点がよいか、あるいは悪いかといったことが

見えてきます。

■ 支払方法の設定

広告費の支払方法はクレジットカードかデビットカードになります。どちらかの情報を入力してください。

■ タグの発行・設置

「タグ」は広告効果を計測するために必要なコードのことで、「Facebookピクセル」「トラッキングコード」とも呼ばれます。タグの設置は、WordPressであればHTMLファイルに直接コピペして設置する方法と、プラグイン（「Insert Headers and Footers」など）を使う方法があります。ペライチ、Strikinglyは有料になりますが、タグの設置自体は簡単にできます。具体的な設置方法はさまざまなWebサイトに掲載されているので、そちらを参考にしてください。

! 効果測定しながら改善を図ろう

Google AnalyticsのCV計測やタグの設置により、**図7-18**に示す項目が計測できます。どちらの数値も低いほうが好ましく、高いと改善が必要になります。

図 7-18　Facebook広告の主な効果測定項目

	CPC（Cost Per Click）	CPA（Cost Per Action）
意味	広告クリック単価	リスト獲得単価
目安	①50円未満 　➡ そのまま ②50円以上 　➡ クリエイティブの改善	①100円未満 　➡ 広告予算を増やしてさらにリストを獲得 ②100 〜 500円 　➡ そのまま ③500円以上 　➡ ティザーLPの改善

Chap.
7

上記のCPCとCPAの数値はあくまで目安として、商品単価や最終的なLINE登録者数の目標と照らし合わせて判断してください。高単価商品であるほどCPAが高くても許容できます。「（CPA × 10）＜（1商品あたりの利益額）」であれば十分利益が得られる試算なので、積極的に広告を運用していきましょう。

⚠ 広告代理店に運用を委託する

　ここまでFacebook広告の概要についてお伝えしてきましたが、**「自分で覚えるよりは誰かに委託したい」**と考える方もいるでしょう。広告代理店に任せたほうが効果的に運用できるのは事実ですし、その分の時間をほかの作業に充てることもできます。特に大きなクラファンプロジェクトでは、極力好結果を出せるように広告代理店にすべて任せている人も多いです。

　Facebook広告は比較的自分でも取り組みやすいものですが、専門スキルの高い広告代理店も多いので相談してみるのもいいでしょう。もっとも、なかには「広告費を使いましょう」一辺倒のレベルの低い広告代理店もあります。本書の内容を最低限ご自分で理解したうえで相談して、広告代理店が質問したことに回答できるかしっかり見極めてください。

---

7 5 スタートダッシュを決めるための 事前集客❹ >>> LINE公式

　次に、プロジェクト開始日までのLINE配信のコツについてお伝えします。LINEは利用者数9,200万人と、人口の約75％が利用しています。また、LINEはメルマガよりも見込み客が気軽に情報を取得でき、メルマガの開封率が10〜30％とされるのに対してLINEは60％以上というデータもあります。見込み客リストの獲得がメルマガよりも容易であるため、事前集客では主にLINEを使用します。**LINEの配信はプロジェクト開始の10日くらい前に開始し、プロジェクト開始当日まで1日1通くらいのペースで続けるのが目安です（開始当日は1日2〜3通でも可）。**

⚠ LINE公式アカウントに登録しよう

　ティザーLPのLINE登録ボタンで獲得した見込み客リストに対して、送信ボタン1つで一斉にLINEを配信するには、**「LINE公式アカウント」**に登録する必要があります（**図7-19**）。通常のLINEは1対1のやりとりだけで一斉配信はできません。

226

図 7-19　LINE 公式アカウント

注意する点は**図7-20**に示す料金プランです。メッセージ通数とは、「見込み客リスト×送信数」のことで、たとえば「ライトプラン」の場合、見込み客リストが1,500件なら10通送信すると、月の無料メッセージ通数の上限に達する計算になります。以降は1通5.5円（税込）の追加料金がかかります。1回配信すると1,500件×5.5円で8,250円の料金がかかる計算になります。

図 7-20　LINE 公式アカウントの料金プラン（税別）

	フリープラン ※2023年6月より コミュニケーションプラン	ライトプラン	スタンダードプラン
月額固定費	無料	5,000円	15,000円
無料メッセージ通数 ／月	1,000通 ※2023年6月より200通	15,000通 ※2023年6月より5,000通	45,000通 ※2023年6月より30,000通
追加メッセージ 従量料金	不可	5円／通 ※2023年6月より不可	～3円／通

※2023年6月より新料金プランに改定予定
出典：LINE株式会社　LINE for Business
https://www.linebiz.com/jp/news/20221031/

Chap.
7

本章の冒頭で「プロジェクト開始の10日ほど前から当日まで配信」と目安を示したのは、このような料金プランも理由の1つです。また、見込み客の期待感を高めるために一定の配信は必要ですが、あまり多すぎても鬱陶しいと思われますし、配信にかかる労力も大きくなります。メッセージ通数がライトプランの3倍になる「スタンダードプラン」での契約は、特に力を入れたいプロジェクトなどの場合に視野に入れればよいでしょう。また、2023年6月以降は新料金プランになり、月のメッセージ通数が少なくなる予定なので注意してください。

① LINE配信例文を公開

　それでは、どんな内容を配信していけばいいかをお伝えします。**重要なことは、見込み客の期待を膨らませて購買意欲を高めること**です。そのためにクラファンプロジェクトスタートまでカウントダウンを行い、作成したLPをもとに商品情報を小出しにしていきます。

　以下、LINE配信例文をいくつか紹介します。

■ 興味付け

　作成したLPを参考に、問題提起や解決策、既存の商品と違う点を伝えて興味付けを行います。

【スニーカーでよくあるお悩み】

こんにちは〇〇LINE担当です^^

「普段の通勤やレジャーにスニーカーを履く」人の割合は70％以上にものぼります。
※ 当社調べ

そんな日常の相棒ともいうべきスニーカーに関する主なお悩みに以下があります。

======================
・雨の日に履いていけない
・脱ぎ履きに時間がかかる
・蒸れやすい
・靴ひもがほどけやすい
・すぐ破れてしまい丈夫でない
・靴ずれしてしまって、足に合う靴がない
・軽い運動ができたり、走りやすいものが少ない
======================

どれもスニーカーに関するごくありふれたお悩みですが、それらを全部取り除いたものは見かけません。

こうしたお悩みをすべて解決するべく、ゼロから設計されたのが「〇〇」です。

日本リリースが刻々と近づいてきています。
もうまもなくリリース日なども発表できると思いますので、楽しみにしていただければと思います😊

■ 反復

　期待感を高めるために、同じ内容を反復して配信します。もちろん、同じ内容が何度も配信されたら見込み客は閉口してしまいますので、そこは程度の問題です。

【365日履けるスニーカーが誕生！】

こんにちは〇〇LINE担当です^^

スニーカーは日常の相棒ともいうべき存在。
年中通して履けて、いつも快適に過ごせるものが1足あれば、、、

======================
・雨の日に履いていけない
・脱ぎ履きに時間がかかる
・蒸れやすい
・靴ひもがほどけやすい
・すぐ破れてしまい丈夫でない
・靴ずれしてしまって、足に合う靴がない
・軽い運動ができたり、走りやすいものが少ない
======================

〇〇は、こうしたお悩みをすべて解決して1年365日履けるスニーカーです！

日本リリースが刻々と近づいてきています。
リリース日が決まり次第、いち早くこちらでお知らせします！
楽しみにしていただければと思います😊

■ エビデンスと権威性

海外クラファンでの実績やお客様の声など権威性となることを伝えます。

■——————————————————————————■
総額約1,500万円の支援を集めたスニーカーの履き心地は？
■——————————————————————————■

こんにちは〇〇LINE担当です^^

このスニーカーは海外大手クラウドファンディングサイトKickstarter、INDIE GOGOで、

「総支援額約1,500万円」
「約1,400人からの支援」

を集めて話題となっている商品です。

今日はそんな超人気スニーカー〇〇を実際に着用してもらった生の声をご紹介します😊

■お声1
『看護師なので毎日長時間の立ち仕事ですが、こんなに快適なスニーカーははじめてです』

■お声2
『この靴は簡単に脱ぎ履きできて、まるで手袋のようなフィット感です！』

■お声3
『今まで買ったスニーカーのなかで一番です。信じられないくらい快適です！』

こうしたフィードバックを海外から続々いただいているので、順次アップしてご紹介していきますね。

お楽しみに！

■ 紹介と価値観の共有

　海外メーカーの紹介や商品開発にまつわる逸話、商品に対する想いなどを伝えて価値観を共有し、信頼を高めていきます。

■━━━━━━━━━━━━━━■
〇〇開発メーカーの想い
■━━━━━━━━━━━━━━■

こんにちは〇〇LINE担当です^^

今日は、〇〇の開発メーカーであるカナダのスタートアップ企業×××社と、〇〇誕生の裏側についてのご紹介です😊

そのストーリーは創設者である△△から始まります。

彼は元来アクティブな性格で、仕事、旅行、散歩、ハイキングに忙しく、ほとんどの時間を外出先で過ごすような生活を送っていました。

そんな彼の毎朝の悩みは「どの靴を履くか」

仕事用、旅行用、ハイキング用……行く先々の用途に合わせて靴を用意し、靴箱のスペースも確保しなければなりません。

「どこへでも行ける靴がほしい」

そんな1つのアイデアから、〇〇は誕生しました。

×××社はよい靴を履きたいと思っているお客様に、感動を与える靴をご提供することを使命としています。

彼らは〇〇をはじめとして、環境に配慮し、「履き心地」「耐久性」「機能性」を兼ね備えた靴をお客様にご提供するために全力を注いでいます。

今回の日本リリースにより、×××社が持つ想い、技術を日本の皆様にも知ってい

Chap.
7

231

ただくことができればこんなに嬉しいことはありません🙇‍♀️✨

日本でのクラウドファンディング開始はもうまもなくとなります。

■ アンケート

　事前集客でアンケートをとるメリットは2つあります。見込み客との距離感を縮められること、見込み客の属性を正確に聞き出せることです。以下の例文では商品の気になる点について聞いていますが、見込み客の性別、年齢、趣味嗜好、どんな場面で商品を使いたいかなどを聞いてみるのもいいでしょう。アンケートで聞き出した内容をクラファンLPに反映させて、より訴求力を高めることもできます。

【ご協力のお願い】

□□は、「愛するペットたちにいつまでも健康で清潔でいてほしい」と願う愛犬家・愛猫家にお贈りするペットベッドです。

1、丸ごと洗うことができるからいつも清潔
2、瞬時に乾く速乾性
3、巣のような3D構造により実現した快適性
4、噛み、引っかきに強いから長持ち

ペットを飼われている方は全国に約2,000万人もいらっしゃるにもかかわらず、このような製品はいまだありません。

皆様の満足度をより高めるため、飼い主様からのご要望の取りこぼしがないかを確認したいと考えております。
皆様のお力を必要としています！

「□□について、一番知りたいことを2つ」

こちらのトークルームにご質問をいただけませんでしょうか🙇‍♀️

よりよいペットベッドを作るために、ご協力をお願いいたします！

■ アンケート回答

　アンケートの回答結果を配信します。商品で気になる点を聞いたのであれば、見込み客の疑問点を解消して支援に対するハードルを下げます。なお、項目が多い場合は以下のように2つに分けて送っても問題ありません。

■———————————————■
いただいたご質問への回答①
■———————————————■

□□へのご質問にご協力いただきありがとうございます！

皆様のペットに注ぐ愛情の大きさをあらためて実感しました。

皆様からいただいたたくさんのご質問について回答させていただきます✨

=========
【耐久性について】
=========

Q1：もしペットが噛んだ場合、なかの素材は細かく砕けたりしますか？　誤って口に入れないか心配です。

A1：なかにある素材は細かく砕けたりするものではありません。また、カバーをかけている状態では噛んでも壊れることはありません。

Q2：噛む力の強い犬でも壊れないですか？

A2：これまでの3年間の実績では、カバーを外した状態では100頭中1～2頭の割合で壊すほどの力を持っている犬がいましたが、カバーをかけた状態では壊した犬はいませんでした。

Chap.
7

Q3：どの程度、引っかき傷に強いかが気になります。

A3：ペットベッドコーティング生地のTPU自体が強耐久性です。その上にカバーをかぶせてあるので引っかき傷の心配は無用です。

Q4：経年劣化する素材ですか？

A4：ペットベッド全体を密封コーティングしているため経年劣化しません。
また、ボロボロ欠けてきたりする心配もありません。

Q5：へたり込んでしまわないですか？

A5：メモリフォームという素材を使用しているため、へたり込む心配はありません。

Q6：カバーの耐久性は？

A6：使用から3年が経過してもカバーの耐久性は良好です。

Q7：体重40キロ超えですが大丈夫ですか？

A7：40キロ以上でも問題ありません。ご支援の際はLサイズをお選びいただくことをおすすめします。

==========

プロジェクト開始は〇月△日（□）のお昼12:00からとなります✨

プロジェクト開始まで引き続きよろしくお願い申し上げます。

234

■——————————■
いただいたご質問への回答②
■——————————■

昨日に引き続き、□□に関して皆様からいただいたご質問について回答させていただきます✨

=========
【防臭性について】
=========

Q1：尿便の臭いがつかないか気になります。

A1：おしっこの臭いがしたらカバーを外してペットベッドを流水で洗い流してください。そうすれば臭いがつく心配はありません。

Q2：洗ったあと臭いは残らないですか？

A2：流水で洗い流せば臭いは残りません。いつもきれいで臭いもなく、新品のように保てます。

Q3：ケミカル臭はしますか？

A3：コーティング生地のTPUは無害無臭なので化学的臭いはありません。

=========
【安全性について】
=========

Q1：万が一食べても問題ないですか？

A1：もちろん食べてはいけませんが、3年間の実績では、カバーをかけた状態では食べるペットはいませんでした。

Q2：表の素材にもアレルギー性はないですか？

A2：表面の素材にもアレルギー性はありません。

＝＝＝＝＝＝＝＝＝

プロジェクト開始は○月△日（□）のお昼12:00からとなります✨

プロジェクト開始まで引き続きよろしくお願い申し上げます。

■ 希少性と緊急性

リターンの数を限定していること、すぐに売り切れてしまうかもしれないことを示して、初動で支援してもらうように促します。

＝＝＝＝＝＝＝＝＝＝＝＝＝＝＝＝＝＝
【重要なお知らせ】申し込み殺到で完売の見込み
＝＝＝＝＝＝＝＝＝＝＝＝＝＝＝＝＝＝

□□のプロジェクト開始日がいよいよ間近に迫ってきました！

すでにこちらのLINEグループには2,000名を超える全国の飼い主様にご登録いただいております✨

当初の想定を大幅に上回る反響をいただいており、私どもも嬉しく思う反面、{name}様へ事前のお断りがございます。

□□は、品質を保ちながら生産できる数に限りがあるため、現時点ではAmazonや楽天等の大手ECサイトでの大量販売は予定しておりません。

また、Makuakeにおいても販売数を限定しており、割引率がもっとも高い30％台のリターンは公開後すぐに完売してしまう可能性がございます。

現在、製品の生産責任者である×××社と増産の計画を協議していますが、現時点

236

でお約束することができかねる状態にあります。

なんとか優先的にご案内させていただく方法を考えますので、今しばらくお待ちくださいませ。

■ プロジェクト開始前日

　プロジェクト開始のカウントダウンをします。短めの予告で十分です。カウントダウンは前日だけでなく、開始当日数時間前にも行いましょう。

明日の昼12:00より、いよいよ〇〇のクラウドファンディングが始まります！

スタート前までに準備しておくべきことを今一度確認し、万全な状態で明日を迎えていただければと思います✨
以下にもう一度記載しますので、ご確認ください。
＝＝＝＝＝

■　Makuakeのアカウント作成

〇〇を支援いただく際、事前にアカウントを作成しておくと支援をスムーズに行うことができます。

当日は数が限られているリターンへの申し込みが殺到すると思われるため、ぜひ今のうちからアカウント登録を完了していただければ幸いです。

新規会員登録は、Makuakeのトップページ（https://www.makuake.com/）右上の「新規登録」ボタンから行えます。

Chap.
7

■ プロジェクト開始

　プロジェクトがスタートした旨を伝え、初日の購入を促します。以下の例では「リッチメッセージ」(⇒P.239) を使っています。

お待たせいたしました。ついにプロジェクトスタートです！

下の画像をクリックしてプロジェクトページへ🙇
↓↓↓

ⓘ LINE配信の7つのポイント

　最後に、LINE配信のまとめとして配信する際に意識してもらいたいポイントをお伝えします。

■ 文字数の目安は300 〜 500文字

　LINEはメルマガと違って、なるべくスクロールさせないことがポイントです。配信内容によって違いはありますが、文字数は300 〜 500文字を目安にしてください。

■ 適度に装飾を入れる

　ただ文字を書き連ねるだけでなく、適度に顔文字や絵文字、装飾を入れるようにしましょう。たとえば「＝＝＝＝＝＝＝＝」や「■————■」などで文字を囲んで装飾すると、すっきりと読みやすくなります。ただし、あまり多すぎると鬱陶しく感じてしまうので注意してください。

■ 1LINE 1メッセージ

　1通のLINE配信で、伝えたいことは1つに絞りましょう。文字数の目安が

あるなかで伝えられることには限りがあります。1通のLINEにいくつも伝えたいメッセージが分散していると見込み客を混乱させます。

■ 重要なことは反復する

見込み客の多くは、LINEを読んでいるようで読んでいません。重要なことは反復するようにしましょう。特にカウントダウンのときは、プロジェクト開始日時を繰り返し送るようにします。

■ 文章だけでなく画像でも見せる

LINE公式アカウントでは、リッチメッセージといわれるリンク付きの画像を挿入し、クラファンサイトへの登録を促したり支援を募ったりできます（**図7-21**）。LPに図や表、写真などを盛り込むのと同様にLINEでも積極的に画像を活用しましょう。

図7-21　リッチメッセージの例

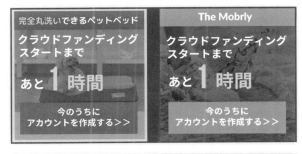

なおLINE公式アカウントでは、トーク画面下部に「リッチメニュー」というリンク付きの画像を固定で設置することもできます。ただ、リッチメニューは余裕があれば設置するくらいのもので必須ではありません。理由はプロジェ

クト開始前のLINE配信が10日程度であることと、LPを公開できるのがプロジェクト当日以降になるので、リッチメニューを作る必要性が低いためです。

■ 改行と行間に注意

　見込み客が読みやすいように適度に改行と行間を入れましょう。ただし、中途半端に改行すると**図7-22**のようになってしまうので注意してください。

図7-22　改行OKとNGの例

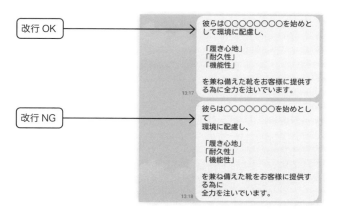

■ テスト配信して確認する

　一斉配信する前にテスト配信して、配信内容を確認してください。誤字・脱字を潰すのはもちろん、行間が適切か、不自然なところで改行されていないかもチェックしましょう。

7 6 プロジェクト期間中の 広告運用の考え方

　クラファンプロジェクト期間中も広告を運用しましょう。事前集客では「ティザーLP ➡ LINE登録」という流れですが、プロジェクト期間中は「クラファンLP ➡ 支援」という流れです。GREEN FUNDING、CAMPFIRE（machi-yaも含む）はタグ（広告効果を測定するためのコード）を挿入して効果測定ができますが、Makuakeにはその機能がありません。

　プロジェクト期間中の広告運用には、大きく分けて自社広告と依頼広告があ

ります。それぞれについて説明します。

！ 自社広告

自社広告とは、ご自分で運用するか、もしくは広告代理店に依頼して運用する広告のことを指します。自社広告は、大きくSNS広告とGoogle ／ Yahoo!広告に分かれます。

■ SNS広告
SNS広告については、基本は事前集客と同様にFacebook広告とInstagram広告を中心に考えてください。Makuakeでは広告効果の測定ができませんから、そこは割り切って運用する必要があります。

■ Google ／ Yahoo!広告
物販クラファンで取り扱う商品は検索キーワードのない商品が多いです。そのため、検索キーワードに合わせて検索結果画面に広告が表示されるリスティング広告は相性があまりよくないことがあります。Google ／ Yahoo!広告で検討するのは主にディスプレイ広告とGoogleファインド広告です（**図7-23**）。どちらもSNS広告に比べるとご自分で運用するのは難易度が高いので、専門の広告代理店に相談するようにしてください。

図7-23 Google ／ Yahoo! 広告のおすすめ

ディスプレイ広告	広告の掲載枠があるWebサイトの内容に合わせて広告が表示されるコンテンツ連動型。一度LPにやってきた人に再度広告を表示するリターゲティング機能がある
Googleファインド広告	Google検索、YouTube、Gmail、DiscoverなどのGoogle提供サービスに広告を配信できる

！ 依頼広告

依頼広告は、各クラファンサイトが提供している有料の広告プランのことです。Makuake、GREEN FUNDING、CAMPFIREでそれぞれ内容や条件が違いますが、単価の高い商品であれば採用を考える余地があります。担当キュレーターに相談しながら検討してください。

■ Makuake

　Makuakeは、プロジェクトが始まって支援金がある程度集まると依頼広告を出稿できます。広告費は「最低いくらから」という下限があります。金額は変わることがあるので担当キュレーターに確認してください。

　ご自分で効果測定はできませんが、Makuakeからデータを提供してもらうことは可能なので、依頼広告の費用対効果は確認できます。広告の種類はMakuakeにお任せになり、細かな変更の指定はできません。また、土日は広告運用の停止ができなくなります。

■ GREEN FUNDING

　GREEN FUNDINGは、Makuakeのような達成支援金額や広告費の条件がなく、自由度が高い形で依頼が可能です。現在は成果報酬型の依頼広告も出稿でき、その場合、広告経由の購入があると15%の運用手数料がかかります。主にFacebook広告になりますが、ご自分で効果測定もでき、使い勝手がいいです。

■ CAMPFIRE（machi-yaも含む）

　CAMPFIREは、MakuakeやGREEN FUNDINGと違ってトップページに掲載されるのがほとんど依頼広告で、メルマガ（ニュースレター）も有料広告プランのなかに入っています。スタートダッシュの盛り上がりには欠けるものの、広告を使えばクラファンサイト内で大きく露出することも期待できます。

- -

7 7　プレスリリースで　メディアに取り上げてもらおう

- -

　プレスリリースは新商品、新サービス、新事業の情報などを、報道機関を利用して発信することです。クラファンでも有効な手段で、主にスタートダッシュ〜中だるみ期間で利用します。**多くの支援者に認知してもらうのはもちろん、大手企業にも知ってもらうことで卸ビジネスのきっかけにもなります。**初動で成功したほうが勢いがつくので、プレスリリースはできればプロジェクト開始時から活用することをおすすめします。

ⓘ 主なプレスリリース配信代行サービス

　プレスリリース配信代行サービスで有名なのは**「PR TIMES」**と**「@press」**

です。料金プランは**図7-24**のとおりで、複数回利用する人向けにPR TIMES は月額プラン、@pressは回数券（チケット制）が用意されています。利用頻度によって選択してください。なお、PR TIMESは法人設立2年間は配信無料のスタートアップチャレンジがあるので、該当する人は検討してみるとよいでしょう。

図 7-24　PR TIMES と @press

PR TIMES	プレスリリース配信代行サービスでは国内最大手	【従量課金プラン】 1件あたり3万3000円（税込） 【定額プラン】 月7万7000〜8万8000円（税込） ※ 法人設立2年間は月1件、累計10件まで無料
@press	1配信あたりの記事掲載数が国内No.1	・1配信あたり3万3000〜6万5780円（税込） ・3配信あたり8万5800〜16万4340円（税込）

※ 2022年11月時点

(!) プレスリリース配信のポイント

PR TIMESや@pressのサイト内で「クラウドファンディング」で検索すると、クラファン関連の過去のプレスリリース記事がたくさん出てくるので参考にできます。**PR TIMESや@pressで配信する内容は基本的にLPの抜粋でいいのですが、「記者に向けて配信する」ことを意識するようにしてください。**日々の膨大なプレスリリースのなかからメディアに選んでもらうには以下の点を徹底する必要があります。

> ▸ LPを材料に、記者が「おっ!」と目を奪われるタイトルにする
> ▸ エビデンスを示し、別途検証や調査が不要な内容にする
> ▸ 一部の人にしかわからない専門用語は避ける

(!) プレスリリース配信のタイミング

クラファンプロジェクト期間中のプレスリリース配信のタイミングは主に以下のとおりです。プロジェクトスタート時の配信はなるべく実行することをおすすめしますが、期間中の複数回の配信は広告予算の範囲内で検討するように

してください。

> ▶ プロジェクトスタート
> ▶ 支援金額○○○万円達成
> ▶ ○○の技術について（商品に使われている新技術の説明を分割して配信）
> ▶ YouTuber の○○さんに使ってもらい好評でした
> ▶ 現在、工場で生産中です
> ▶ 商品の機能テストをしてきました

　注意点が2つあります。1つ目は、複数回配信する場合は似た内容で配信できないことです。たとえば「100万円達成しました！」と配信したら、次に「300万円達成しました！」と配信するのはNGです。視点を変えて、記者が興味を持ちそうな新技術について配信するなどを検討してください。
　2つ目は、掲載基準があり、メディア掲載を主旨としたプレスリリースは配信できないことです。YouTuber に取り上げられたことをPRするのはOKなのですが、「テレビに出演しました」「雑誌に掲載されました」はNGです。ただし、プロジェクト開始、目標金額達成など別の新規情報を主旨としている場合はメディア実績を掲載できます。プレスリリースではメディア掲載の報告はNGですが、メディア出演はインパクトが大きいので、クラファンの活動報告やSNSなどで伝えるようにしましょう。
　なおプレスリリースは、スタートダッシュやプロジェクト期間中だけでなく、プロジェクト終了後に一般販売する際にも利用できます。好評につき継続的に販売することになったという主旨で配信するといいでしょう。

(!) メディアに直接掲載依頼するのもあり

　プレスリリース配信代行サービスを利用するほかに、ダイレクトにテレビや雑誌などのメディアに掲載依頼するのも有効です。**直接電話してアプローチすることで2〜3社で掲載が決まることもあります。**しかも有料の広告枠ではありません。**コストがかからない方法なので、やってみる価値はあります。**
　キャンプ用品であればアウトドア雑誌、調理器具であればグルメ・料理雑誌と、商品と親和性の高い雑誌にアプローチします。名乗って用件を伝えたうえで「どちらの担当者様にお伝えすればよろしいでしょうか？」と尋ねるだけで大丈夫です。掲載された記事が好評だと「一般販売するときも教えてくださ

い。一緒に広めていきましょう」と逆提案されることもあります。

　テレビについては、主にニュースやワイドショーなどの情報番組、新商品を扱うバラエティ番組で取り上げられることが多いです。一度出演できると、「当番組でも取り上げさせてください」と連鎖的に取材依頼が来ることも少なくありません。

7 8 中だるみ期間でも 支援者を集める打ち手

　せっかくスタートダッシュで成功しても、中だるみ期間で何もしないと勢いが止まってしまいます。以下の打ち手を講じることで勢いを止めず、集中力を切らさず支援を集めていきましょう。

① YouTuberに商品の魅力を伝えてもらう ギフティング施策

　ギフティング施策とは、商品のサンプルをインフルエンサーに配り、商品を宣伝してもらう方法です。Instagram、Twitter、TikTokなどさまざまな媒体がありますが、クラファン支援者の属性から考えて相性がいいのはYouTubeです。YouTuberギフティング施策のポイントについていくつか説明します。

■ 相場観と交渉

　ギフティング施策の相場は、最近ではチャンネル登録者数×1〜3円くらいのことが多いです。ただ、これはYouTuberが事務所所属なのかフリーなのか、またYouTuber自身の方針によっても大きく変わるので断定はできません。場合によっては無料で依頼できることもあります。

YouTuberへの報酬は、商品にもよりますが高くても20万円くらいに抑えるのがよいと思います。チャンネル登録者数の多いYouTuberに高い報酬を支払って紹介してもらったからといって必ず支援が伸びるわけではなく、大コケすることもあります。背伸びして高い報酬で依頼するよりは、ご自分の予算範囲内で、ほかの施策との優先順位も考慮したうえで、余裕を持って依頼できるYouTuberを探しましょう。

　なかには承諾したにもかかわらずプロジェクト期間中に紹介してくれないYouTuberもいます。有料で依頼したYouTuberについては、簡易的にでも契約書を交わして約束を守ってもらいましょう。

Chap.
7

YouTuberによっては無料で紹介を依頼できることも珍しくありません。 大きな理由はサンプル品を報酬として提供できるためです。

特にチャンネル登録者数1万人程度のマイクロインフルエンサーの場合、このケースが多いです。マイクロインフルエンサーは、マネタイズ以前に紹介依頼があったこと自体を嬉しいと思う傾向がありますし、「日本未上陸の画期的商品を誰よりも早く紹介します！」と発信すればブランディングになり、YouTuberにもプラスになります。**交渉する際は「商品を差し上げますので、一度YouTubeで紹介していただけませんか？」と持ちかけてみましょう。**

■ YouTuberの選び方

YouTuberの選び方で一番重要なのは、YouTubeチャンネルの属性と商品の属性がマッチするかどうかです。チャンネル登録者数も一定の判断基準にはなりますが、マイクロインフルエンサーでも属性が合っていれば支援が大きく伸びる可能性があります。また、商品の紹介動画を専門的に配信しているYouTuberも支援が伸びる可能性が高くなります。

■ 依頼時期と依頼内容

YouTuberに依頼してから紹介してくれるまでは、だいたい1カ月くらいを考えておいてください。スタートダッシュから中だるみ期間にかけて紹介してもらったほうがいいので、準備は早めにしておきましょう。

動画の内容については、こちらからは特に指定せず、1人のお客様目線で商品のデメリットも含めて率直に意見してもらうことが多いです。そのほうがステルスマーケティング防止になりますし、視聴者の不信も招きません。商品力の高い商品であれば多くは魅力を伝えてもらえるので心配はいりません。

(!) 認知拡大を図るSNSプレゼント企画

SNSプレゼント企画は、TwitterやInstagramで「商品を紹介してくれた人のなかから抽選で○名様に商品をプレゼント」して認知拡大を図る施策です。コストは商品の仕入代金になります。

SNSプレゼント企画は、ラストスパートでの支援拡大も見据えて、中だるみ期間の後半までに行うことをおすすめします。各クラファンサイトの活動報告でSNSプレゼント企画を告知するのもいいでしょう。

■ Twitterプレゼント企画

　主にLPや商品のTwitterアカウントを紹介するツイートをしてくれた人やリツイートで拡散してくれた人のなかから抽選で商品をプレゼントする企画です。商品の認知拡大だけでなく、Twitterのフォロワーを増やすことも期待できるため、同ブランドの商品をこの先販売する際にも役立てることができます。

　とはいえ、プレゼント企画で獲得したフォロワーは非アクティブなことも多いので過度な期待はしないようにしましょう。また、Twitterにはプレゼント企画の投稿ばかりリツイートするプレ垢（プレゼント垢と呼ばれる懸賞アカウントのこと）も多いので注意してください。

■ Instagramプレゼント企画

　Instagramプレゼント企画も、クラファンプロジェクトのことを紹介してくれたり、＠でタグ付けしてくれた人のなかから抽選でプレゼントを行うことが一般的でした。しかし、**最近はInstagramでプレゼント企画を行うとアカウントが削除されるリスクがあります。**

　Instagramのコミュニティガイドラインによれば、金銭や金券などを除いてプレゼント企画が禁じられているわけではありません。とはいえ、疑わしき者は罰することもあり得るので、プレゼント企画の告知の表現には十分気をつけてください。プレゼント企画ではなく「モニター募集」として、商品の感想を投稿することを条件に商品を無償提供することもあります。

⚠ 活動報告機能やSNSでプロジェクトの進捗を知らせる

　プロジェクトが始まったら、各クラファンサイトの活動報告機能（**図7-25、図7-26**）やSNS（LINE、Twitter、Instagramなど）で、プロジェクトの進捗を報告するようにしてください。特にLINEは事前集客で使ったアカウントをプロジェクト開始後も活用するようにしてください。まだ商品を購入しておらず見込み客のままだった人が、あとになって購入してくれることもあります。

Chap.
7

図 7-25　Makuake の活動レポート

図 7-26　GREEN FUNDING の活動報告

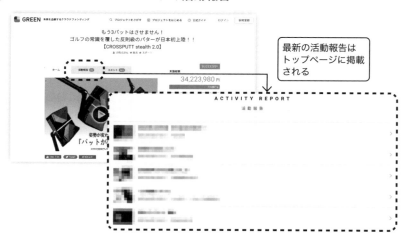

　クラファンサイトでの活動報告もまめに行うようにしましょう。図7-25、図7-26のとおり、活動報告をするとトップページに掲載されます。ランキングに比べると注目している支援者は少なく、表示される時間も短いですが多少は認知拡大を図ることができます。また、活動報告することでプロジェクトの賑わいを伝えることができます。

　プロジェクト期間中は以下のようなことをクラファンサイトやSNSで周知するようにして、中だるみ以降も集中力を切らさずに支援を集めるようにしましょう。

- ▶プロジェクトスタート
- ▶初日で目標金額達成（サクセスバッジの付く金額）　　▶○○○万円達成
- ▶リターン完売
- ▶ランキング掲載
- ▶テレビ出演　　▶雑誌掲載　　▶大手Webメディア掲載
- ▶YouTuberやインフルエンサーの紹介
- ▶メルマガ（ニュースレター）掲載
- ▶支援者から新しく寄せられた質問に対する回答
- ▶LPを参考に商品機能や魅力を紹介
- ▶商品使用例（商品の調理器具を使ったレシピなど）
- ▶SNSプレゼント企画　　▶当選者発表
- ▶あと○○日（○○時間）で終了

⚠ 応援コメントに対してお礼を出す

　支援者からコメント欄に応援コメントが付くことがあります。Makuakeや CAMPFIREにはコメント返しできる機能があるので、なるべく返礼するようにしましょう（**図7-27**、**図7-28**）。支援者に対する礼儀は意外と見込み客もチェックしており、安心感と信頼に影響します。簡単でいいので支援者に感謝のコメントを返すようにしましょう。

図7-27　Makuakeの応援コメント

図7-28　CAMPFIREのコメント

Q 海外メーカーの日本の代理店から「一般販売は不可ですが、商談は受け付けます」と連絡がありました。商談したほうがいいでしょうか？

A クラファンに出品する意味がないので辞退しましょう。

解説　リサーチして見つけた商品は日本未発売なものの、それとは別の商品を日本の代理店が輸入販売しているメーカーがあります。その場合、すでに代理店が販売権利を持っているので、アプローチしても代理店から「一般販売はできません」といわれます。このケースでクラファンをやらせてもらえる可能性は低く、仮にやらせてもらえたとしても継続的な独占契約がとれないので意味がありません。そのため、メーカーとの取引は辞退して問題ありません。メーカーとの取引が成立することは重要ですが、「クラファンをきっかけに継続的な独占販売を目指す」という本当の目標を見失わないようにしましょう。

Q 「クラファンの支援数＝MOQ」が厳しく、ある程度在庫を持たないといけないと考えています。その場合のMOQの目安を教えてください。

A 最悪を想定すれば海外クラファンの結果の $\frac{1}{10}$ が目安です。

解説　「クラファンの支援数＝MOQ」が難しくても、MOQの合計額よりクラファンの想定達成金額が多ければ問題ありません。過度なリスクを避けるには、予想販売個数を海外クラファンの結果の $\frac{1}{10}$ とするのが目安です。
　$\frac{1}{10}$ では少ないと感じる方も多いと思いますが、あくまであまり売れなかったことを想定した場合の保守的な目安です。判断が難しい場合は、MakuakeやGREEN FUNDINGの同カテゴリーや類似商品の達成金額も参考にしながら想定額を変えてください。特に海外クラファンで10〜100万ドル規模の大きな支援を集めた商品は、当然日本でも支援が集まるので、リスクをとって在庫を持つことも検討します。しかし、単価が1,000ドル前後の高単価商品で多くの在庫を持つことはおすすめしません。

安全・確実に
支援者に商品を
配送する

安全・確実に
支援者に商品を配送する

プロジェクトが終了したら、滞りなく支援者にリターン商品を配送しましょう。クラファンプロジェクトは、リターン商品を配送して完全に終了です。支援募集期間の終わりがプロジェクトの終わりではありません。発送作業まで終わってから次の段階に進むことができます。

8 1 商品発注時は 特にここに気をつける

　プロジェクトが終了して最初にやることは、メーカーへの商品発注です。メーカーと独占契約を結ぶ際に、納期、輸送手段、不良品対応、支払方法について取り決めていますが、発注時にも再確認するようにしましょう。

　余裕を持って配送の時期を設定したとしても遅延が発生しないとは限らず、不良品の発生もないとは言い切れません。仮にトラブルになって炎上してしまうと、次回クラファンプロジェクトを立ち上げる際に支援が集まりにくくなるおそれがあります。

　日本と海外では商習慣の違いがあり、特に納期や不良品対応に対する意識が海外メーカーは日本より低い傾向にあります。不良品については独占契約時にRMA（返品保証制度）の取り決めをしますが（⇒P.133）、品質に対する認識の違いには注意してください。たとえば以下のようなことは比較的よく起こるので、よく確認するようにしましょう。

■ 商品表面の傷、剝がれ、色の違い

　商品の機能に直接影響はないものの、金属、ガラス、プラスチックなど商品表面に傷がついたり剝がれたりしていることがあります。場合によってはサンプルと色の違いが出てしまっているようなこともあります。

　問題なく使えるとしても、新品なのに表面に傷がついていたら支援者が快く思うはずがありません。**確実に検品するのはもちろん、生産前にメーカーにしっかり念押しするようにしましょう。**

■ **化粧箱（外箱パッケージ）の破損**

リターン商品到着時に化粧箱が一部潰れたり汚れたりしていることがあります。商品に問題はなくても化粧箱に破損があればクレームに発展しかねません。

化粧箱に対する意識が低い海外メーカーだと、輸送時に潰れやすい、柔らかい化粧箱を使うこともあり、日本に到着したころにはボコボコになっていることもあります。**「化粧箱も商品として見られるので、潰れないように頑丈な箱を使ってください」**と、しっかり指示するようにしましょう。

---

8 2 商品輸送手段を決める

リターン商品輸送手段はメーカーとの交渉時や利益計算時にある程度決まっていますが、最終決定するのはリターン数が確定するプロジェクト後です。輸送手段を決めるポイントを説明します。

ⓘ メーカー契約のキャリア（配送業者）を使うのが一般的

多くの場合、メーカーは配送業者と契約をしています。発送方法や輸送期間、料金などを確認して、条件が合えばメーカー契約のキャリアを利用するのが手間がなくおすすめです。そのほうが有利な配送料金で発注できることもあります。

ⓘ メーカー契約のキャリアがない場合

メーカーに契約キャリアがない場合は、配送業者についてメーカーと詰めます。航空便の場合は、ドアtoドア輸送で手続きが非常に楽で、通関もすべてお任せのFedExかDHLを使うのが一般的です。

輸送スピードの点からは航空便のほうがよいのは歴然で、ヨーロッパ、アメリカからの貨物でも、直行フライトであれば翌日には日本に到着します。対して船便の場合はヨーロッパ、アメリカからは1〜2カ月、中国からは3週間程度かかることが多いです。しかし、P.134でお話ししたように、ボリュームが大きい貨物は船便が圧倒的に安価になります。支援者にリターン商品を届けるスケジュール感やリターン数によっては船便を選択することもあります。

船便の場合は、ご自分で配送業者を手配する必要があります。船便でも、ドアtoドアで、現地でのピックアップから輸送、通関、陸送まで一気通貫で依

頼できる業者があります。大手で、私がよく利用する配送業者は以下のとおりです。それ以外には、仕入先からの航路を得意とする配送業者を探してみるという手もあります。

■ SGHグローバル・ジャパン

佐川急便グループの大手運送会社です。主要な国からの船便に対応しており、コンテナ輸送（FCL）、混載輸送（LCL）ともに高品質輸送を提供してくれます。

■ トールエクスプレスジャパン

日本郵政グループの大手運送会社です。こちらも主要な国からの輸送に対応しています。

■ 近鉄エクスプレス

2022年3月時点で46カ国、298都市に688の拠点を持つ大手の日系フォワーダーの1つです。もちろん主要国に対応しています。

---

8 3 おすすめの 海外送金サービス

仕入代金の支払いや不良品発生時の返金には海外送金サービスを利用します。口座開設に時間がかかることがあるので、前もって準備しておくことをおすすめします。

① 楽天銀行

「楽天銀行」は普段使いの銀行としてもおすすめですが、海外送金も手数料が比較的安く使い勝手がいいです。**送金限度額が大きく、まとまった金額を送金したい場合は手数料を安く抑えられます。**

① 住信SBIネット銀行

「住信SBIネット銀行」も海外送金にかかる手数料が比較的安く、送金限度額が大きいです。楽天銀行と同じく、**大きな金額を送金したい場合は手数料を安**

く抑えられます。

(!) Wise

「Wise」は、楽天銀行や住信SBIネット銀行より手数料が安く、手軽に利用できる点がメリットです（**図8-1**）。反面、1回の送金限度額は100万円までという上限があり、まとまった金額の送金には向いていないところがあります。サンプル品購入や不良品の返金など少額取引での利用がおすすめです。

図 8-1　Wise

---

8 4 タイムロスなく 支援者に商品を届ける

リターン商品が日本に到着したら、できるだけ迅速に支援者に配送します。それには配送代行業者に依頼するのが確実です。

(!) 支援者数が多ければ配送業者を利用する

支援者数が多い場合には配送業者に依頼して、できる限り迅速に配送することをおすすめします。支援者数が少なければご自分で配送する方法もありますが、検品や梱包を含む発送業務は手間がかかる作業です。**効率化を図るためにも、なるべく配送業者を利用するようにしましょう。**私がよく利用している配送業者は以下のとおりですが、探せばまだまだ見つかります。

■ テラロジ

「テラロジ」は、自社で物販事業を行っているため物販事業の配送代行にも柔軟に対応してくれます（**図8-2**）。もちろん、クラファンのリターン商品配送も対応しています。料金は月額9,800円ですが、初月無料のお試し期間が用意されているので安心です。

図8-2　テラロジ

■ ハッピー転送

「ハッピー転送」も物販ビジネスをしている人が利用しやすい配送代行業者です（**図8-3**）。さまざまなプランが用意されており、クラファンに特化した「CFプラン」もあります。

図8-3　ハッピー転送

■ GFセラーサポート

「GFセラーサポート」もクラファンに特化した配送代行業務を請け負ってくれます（**図8-4**）。大阪に所在する業者なので西日本の方におすすめです。

図8-4　GF セラーサポート

■ しろくま発送代行

　書籍・CD・DVD・ゲームなどのAmazonメディア販売に特化した配送代行業者ですが、クラファンのリターン商品にも対応してもらえる場合があります（**図8-5**）。ネコポス（縦31.2㎝以内・横22.8㎝以内・厚さ2.5cm以内）サイズの小さな荷物では格安の料金体系になっています。

図8-5　しろくま発送代行

https://www.shirokuma-daiko.com/nekopos/

Chap.
8

① 日本語の取扱説明書の考え方

　日本語の取扱説明書が必要かどうかは、商品によって判断が変わります。使い方が明らかで手順説明が不要な商品（工具など）であれば日本語説明書は不要ですが、直感的に使い方がわからない商品であれば必要です。

　日本語説明書の作成は、ランサーズやクラウドワークスで説明書やマニュアルの翻訳に対応した外注先を探して依頼するといいでしょう。また、すでに翻訳を外注している（⇒P.296）方は、その翻訳者に対応可能かどうか聞いてみてください。デザインに凝る必要はなく、支援者が迷わずに使用できるように写真付きの手順説明書をPDFで作成すれば問題ありません。

　私の場合は、商品を一般販売するのであれば海外メーカーの工場で日本語説明書を同梱してもらいますが、クラファンだけの場合は支援者への配送時に同梱して送っています。紙の説明書は同梱せず、商品にQRコードを封入してWeb上で日本語説明書を公開するという方法もあります。

8 5 支援者を不安がらせないよう 情報提供する

　プロジェクトが終了したら、リターン商品の生産状況や配送開始時期について支援者に報告します。プロジェクトが終了してからリターン商品が手元に届くまでに時間があるので、その間に音沙汰がなければ支援者は不安になってしまいます。各クラファンサイトの活動報告は、支援者にプロジェクトの進捗を知らせるための機能で、投稿すると支援者にその内容がメールで届きます。

　プロジェクト終了後は以下のことを報告するようにしてください。すべて網羅しなくてもOKですが、特に生産状況について報告することで支援者に安心感を与えることができます。

> ▶プロジェクト終了の報告とお礼
> ▶生産、出荷、リターン商品配送開始時期の報告
> ▶配送先の住所確認と、住所変更の際は連絡する旨の周知
> ▶プロジェクト終了後の質問に対する回答
> ▶商品使用上の注意点

- ▶製造完了の報告
- ▶検査合格の報告
- ▶出荷完了の報告
- ▶検品、梱包完了の報告
- ▶配送開始の報告
- ▶一般販売開始の報告

8 6 トラブルの火種を大きくしないための心がけ

クラファンのルールでは、原則的に支援者都合の返品・返金は拒否できますが、不良品などプロジェクト起案者側に責任がある場合は対応しなければいけません。

⚠ 遅延が発生しそうな場合はすぐに報告

メーカーに納期を十分確認し、適切な配送方法を選んだとしても配送が遅れてしまうことがあります。遅延が起きる理由は、在庫切れ、部品の供給不足、再検査、戦争、パンデミックなどさまざまです。理由のいかんにかかわらず、配送が遅れそうな場合は早めに活動報告で知らせるようにしてください。

ポイントは、どのくらい遅延するのか正確にわからなくても、配送が遅れることがわかった時点で報告することです。どのくらい遅れるのかわからないからと報告を先延ばしにするよりも、**今伝えられることを素早く報告するほうが信頼を得ることができ、なかには次のプロジェクトでも応援してくれる人がいる**くらいです。

また遅延を知らせるだけでなく、製造、検査、出荷、検品、配送開始といった手元に届くまでの進み具合についても報告するようにしましょう。遅れながらも進んでいることがわかれば支援者は安心し、むしろ応援のコメントを付けてくれる人もいます。

Chap.
8

259

ⓘ 不良品のクレームは慎重に対応する

　十分に検品したとしても、まれに不具合が発生することがあります。商品に起因するトラブルであれば、保証期間を確認して返品・返金などの対応が必要になります。しかし、支援者からの訴えが本当に商品の不具合によるものかどうかは慎重に確認するようにしましょう。たとえば、**「自分が考えていたイメージと違う」とクレームを出してくる支援者もいます。** 支援者が注文した色やサイズを確認し、間違いがなければ基本的に返金に応じる必要はありません。

ⓘ 住所不明の場合は返金不要

　支援者が不在だったり、引っ越しなどで宛先不明になっていたりしてリターン商品が返送されることがあります。高額商品であっても発生することで、もし複数回連絡しても支援者につながらない場合は、担当キュレーターに対応方法を相談してください。どうしても連絡がとれなければ再送を諦めるしかありませんが、その場合は支援者都合なので返金の必要はありません。

　リターン商品配送までに支援者の住所が変わっていることは結構あります。クラファンサイトの活動報告やLINEで「住所が変更になる場合には必ず連絡を」と呼びかけます。特に配送遅延が発生してしまった場合には、重ねて呼びかけるようにしてください。

クラファン後の
ビジネス展開で
利益拡大しよう

クラファン後のビジネス展開で利益拡大しよう

クラファンプロジェクトが成功して大きな支援を得るだけでなく、一般販売でも継続的に利益をあげられることが物販クラファンの理想形です。日本未上陸の商品を自分で広めていくおもしろさを実感できるところです。クラファンに取り組みながら、一般市場にも浸透する商品を生み出してビジネスを拡大していきましょう。

9 1 一般販売前にクラファンおかわりで支援を最大化

　メーカーとの契約で問題がなければ、一般販売を始める前に**「クラファンおかわり」**を検討しましょう。**クラファンおかわりとは、あるクラファンサイトでのプロジェクト終了後に、別のサイトで同一のクラファンを行うこと**をいいます。たとえば、Makuakeで実施したプロジェクトとまったく同じプロジェクトをCAMPFIREで実施するといったことです。Makuakeだけでなく CAMPFIREの支援者にも届けられるので、取りこぼしなく支援を最大化できます。

　クラファンおかわりは、1回目のクラファンに比べると支援は約30％程度にとどまることが多いです。しかしLPを使い回すことができるので、ほとんど手間なく支援を伸ばすことができます。特に成功したプロジェクトでは、一般販売前になるべくクラファンおかわりを実施して、さらに大きな支援を得るようにしましょう。**クラファンおかわりは、1回目のクラファンのリターン商品配送が完了すれば起案することが可能**です。

⚠ クラファンおかわりは
CAMPFIREかmachi-yaの2択

　クラファンおかわりの一般的なルートは以下のとおりで、多くはCAMPFIREかmachi-yaを利用します。基本的には、1回目のクラファンはMakuakeか GREEN FUNDING、おかわりはCAMPFIREかmachi-yaと考えてもらって大丈夫です。

クラファンおかわりOK例─────────
- ○ Makuake ➡ CAMPFIRE or machi-ya
- ○ GREEN FUNDING ➡ CAMPFIRE or machi-ya

クラファンおかわりNG例─────────
- × Makuake ➡ GREEN FUNDING
- × GREEN FUNDING ➡ Makuake
- × CAMPFIRE or machi-ya ➡ Makuake or GREEN FUNDING

※ 2022年11月時点

ⓘ CAMPFIRE、machi-yaの違いと選定基準

　CAMPFIREとmachi-yaは運営会社が同じなので共通点が多いです(⇒P.42)。たとえばLP作成のルールや依頼広告 (⇒P.241) のサービスに違いはありません。

　大きな違いは手数料で、CAMPFIREは17％と、ほかのクラファンサイトと比べても安いですが、machi-yaは25％と少し高めです。また、machi-yaは出品申請の審査が比較的厳しく、machi-yaに合ったプロジェクトでないと判断されれば出品できない可能性もあります。しかし、その分mahci-yaは「GIZMODO JAPAN」「lifehacker」「ROOMIE」「BUSINESS INSIDER JAPAN」「MYLOHAS」といった有力なWebメディアに記事を書いてもらえるメリットがあります。複数のメディアにまたがって掲載されることもあり、そうなると広告費を使わなくても露出を増やして支援が大きく伸びる可能性があるので、検討の余地は十分あります。

　また、machi-yaは海外クラファンですでに出品された商品であれば、海外クラファンの商品ページ（LP）を参考にmachi-yaにアップする商品ページを無料で作成してもらえます。クラファンおかわりでは、MakuakeやGREEN FUNDINGのLPを流用することが大半なので利用機会は少ないと思いますが、参考までに知っておいてください。

ⓘ クラファンおかわり時の注意点

　クラファンおかわりをする際の注意点は、先行支援者の不利益にならないようにすることです。具体的には、MakuakeやGREEN FUNDINGで売れ

Chap. 9

残ったリターン商品の価格を下回る割引価格にしないように注意してください。たとえば、Makuakeで25% OFFのリターン商品が売れ残っている場合、CAMPFIREでは25％以下（たとえば20％など）の割引価格でリターン設定する必要があるということです。先行支援者が不利益になるようなリターン設定にすると炎上やクレームを招くことがあります。

　また、**クラファンおかわりでの割引なしの予定価格は必ず1回目のクラファンと合わせるようにしてください。**おかわりでの割引なし予定価格が安いと、1回目のクラファンで虚偽の価格を掲載し、お買い得に見せたことになってしまいます。これは「価格に係る不当表示」となり、景品表示法違反に当たります。クラファンサイト側に厳しくチェックされますので十分注意してください。

ⓘ クラファンおかわり未実施のメーカーにアプローチするのは？

　たまにクラファンおかわり未実施の商品が見つかることがあります。たとえばMakuakeにはあって、CAMPFIREやmachi-yaにはない商品です。

　クラファンおかわり未実施の場合、メーカーと起案者の独占契約が切れている可能性があります。その場合はメーカーに「CAMPFIREでプロジェクトを立ち上げませんか？」と持ちかけてみるのもありですが、メリットは大きくありません。大半はLPを作り直す必要があり、クラファンおかわりで期待できる支援額のわりには手間がかかるからです。例外的に、新規メーカーとの取引で、新商品のプロジェクトと抱き合わせで既存プロジェクトのおかわりを実施するというなら検討の余地はあります。

ⓘ GREEN FUNDINGとkibidangoの同時期開催

　クラファンおかわりとは別の話になりますが、GREEN FUNDINGとkibidango（**図9-1**）は同時期にプロジェクトを開始することが可能です。kibidangoは、ほかのクラファンサイトに比べると小規模ですが、Kickstarterからクラファン事業者として世界で唯一「Kickstarter Expert」に認定されたサービスです。手数料が10％と安いことも特徴です。GREEN FUNDINGとkibidangoは支援者層に違いがあるので、それぞれ単体でプロジェクトを起案するよりは総支援額が大きくなります。

　もっとも、支援の伸びは限られます。同時期開催するとしても事前集客はどちらかのクラファンサイトに絞ることになるので、片方の支援がほとんど伸び

ないからです。両方で事前集客をしてしまうと、支援が分散してバンドワゴン効果の期待が半減します。

　同時期開催はGREEN FUNDINGとkibidango両方での審査があり、手間もかかります。同時期開催は「やらないよりはやったほうがいいけど、余裕があれば」くらいに考えておくといいでしょう。

図9-1　kibidango

9 2 一般販売するかクラファンで終わるかの判断基準

　P.84で説明した「キャズムの谷」の原理から、クラファンで成功した商品が一般販売でも成功するとは限りません。とはいえクラファンで成功した商品であれば、一般販売でも売れる可能性は高くなります。ここでは、一般販売するかどうかの判断の目安をお伝えします。

① クラファン支援額と 卸の引き合いの有無を目安に判断する

　一般販売するかどうかは、**図9-2**のように**クラファン支援額と卸の引き合いの有無である程度判断できます。**プロジェクト期間中に卸業者や実店舗からの問い合わせが複数あった場合は、プロジェクト終了前から一般販売について検討するようにします。**支援が大きくて卸の引き合いも多ければ一般販売で売れる可能性が高いので、力を入れて販路を拡大していきましょう。**

図9-2　一般販売の判断基準

	支援大 （800万円以上）	支援中 （300〜600万円）	支援小 （200万円以下）
引き合い多数 （5件以上）	○	○	△
引き合い少数 （1〜2件程度）	△	△	△
引き合いなし	△	×	×

○ ➡ 一般販売OK　　△ ➡ 一般販売要検討　　× ➡ 一般販売なし

　物販クラファンの場合、クラファンでの支援が小さければ一般販売でも売れる可能性は低いです。クラファンで支援が小さくても一般販売で売れる可能性が高いのは、一般販売と相性のいいOEM商品です。しかし、支援が小さくても卸の引き合いが多数あった場合は、一般販売でブレイクすることも十分あり得ます。卸業者や実店舗に「なぜ売れると思うのか」をヒアリングしたうえで一般販売を検討してみましょう。

(!) 判断に迷ったときは

　成功したプロジェクトで卸の引き合いが多数あった場合、その逆だった場合はある程度簡単に一般販売の可否を判断できます。図9-2で△（一般販売要検討）だった場合は以下の点を踏まえて判断してください。

■ 支援者の反応
　プロジェクト期間中の支援者の熱量、たとえば寄せられるコメント内容も一般販売するかどうかのよい判断材料になります。「待っていました！」「このシリーズ、全部持ってます！」など、ご自分が扱うブランドのファンと思える人のコメントがある場合は一般販売でもヒットする可能性があります。

■ メディアの反応
　プロジェクト期間中にメディアからの問い合わせが多数あり、掲載時の反響が大きければ一般販売でも売れる可能性が高いです。この場合は卸からの引き合いも多くなる傾向があります。

■ ライバル商品

一般販売されているライバル商品との比較で、機能や価格面で優位性があるかどうかを検討します。ただし、価格面については先行者利益を守るために半年間は「クラファンの販売価格 ≦ 一般販売の価格」とする縛りがあるので注意してください（⇒P.86）。

特にクラファンで強気の価格設定をした場合は、価格競争が前提となるAmazonでは売りにくいです。自社ECサイトで広告費をかけたほうが費用対効果は高くなります。

■ 商品寿命

一般販売は、継続的な売上が見込める商品寿命が長い商品のほうが向いています。次々と新作が発売されるタイプではなく、一度買ったら長期間使われる商品のほうが一般販売と相性がいいです。

---

9 3 一般販売の主な販路❶
>>> 店舗販売

一般販売は、ネットで販売（Amazon、楽天、自社ECサイトなど）か、実店舗で販売かのどちらかになります。卸業者や実店舗から複数問い合わせがあった場合は、まずは実店舗での販売を検討します。実店舗で販売すると同時に、店舗保有のECサイトでも販売する場合があります。

(!) 卸業者や実店舗に営業してみるのもあり

卸からの引き合いを待つばかりでなく、自分から卸業者や実店舗に営業してみるのもいいでしょう。**クラファンの実績がそのままエビデンスとなるのでポジティブに話が進む可能性があります。** クラファンの実績がない状態で新商品を店舗に卸そうとしても、なかなか関心を持ってもらえません。大規模な卸販売に発展するきっかけになるのは物販クラファンの魅力の1つといえます。クラファンLPや事業用ホームページ、YouTuberの紹介動画などを営業ツールにするといいでしょう。

卸業者は「卸 ○○（商品カテゴリー名）」でGoogle検索すると見つかります。また、Amazonや楽天、Yahoo!ショッピングにいくつも商品を出品している出品者を探すとよい卸業者が見つかることがあります。

Chap.
9

267

! 店舗販売の掛け率

　掛け率とは、実店舗の販売価格に対する卸値の割合のことを指し、たとえば販売価格3万円で掛け率50％であれば卸値は1万5000円です。**掛け率は卸業者を通さずに直接実店舗に卸す場合は50～65％、卸業者を通す場合は45～60％が目安となります。**利益計算についてはP.141を参考にして、十分利益が出るかどうかを検討してください。

　卸業者を通す場合、掛け率は当然低くなりますが、卸業者と取引するメリットもあります。1つは双方向での取引が可能で、卸業者から商品を仕入れることもできる点です。もう1つは、卸業者は販路を広げてくれる可能性があることです。しかもワンストップで行えるのが大きなメリットです。複数の店舗と直接取引すると、店舗ごとにルールが違うので管理が煩雑になることがあります。また、新商品に対するプロの意見を聞くことができるので、今後のビジネス展開で大いに参考になります。ビジネスを拡大していきたい場合は、卸業者との取引も前向きに検討するようにしましょう。

　ただし一度卸業者を通すと、その商品を店舗販売する際は、ずっと同じ卸業者を通すことが原則になります。別の商品なら店舗と直接取引したり、ほかの卸業者を利用したりしてもOKです。

! 店舗販売のメリット

　店舗販売は、特にネット販売と比べた場合、以下のようなメリットがあります。

■ 一度に大きな売上が得られる

　P.32で述べたとおり、大型のB2B案件になれば1回で1,000万円以上の売上になることも珍しくありません。卸取引ができるようになると、小さな労力で大きな利益が期待できます。

■ 価格競争が起こらない

　ライバル商品と比較するのが容易なネット販売では常に価格競争が起こります。店舗販売では、よほど類似した商品が陳列されない限りは価値に見合った価格で販売しやすいです。

■ ネットで売れない商品でも売れる

店舗販売の場合、ネットで売れないような商品でも売れやすくなります。価格競争がつきもののネット販売では「高くてよいモノ」は売りにくいところがあり、「安くてちょっとよいモノ」が売れる傾向があります。店舗販売は手にとって商品の魅力を感じてもらえますし、店員がその場でわかりやすく説明してくれますから**価値が伝わりやすく、高額な商品でも売れやすくなります。**また、実店舗の販売には検索キーワードのない商品でも問題ないというメリットもあります。

■ 実績がついてビジネスが加速しやすくなる

実店舗に商品を卸すことで大きな実績になります。**海外メーカーはなるべく一般販売できる人と取引したいと考えるので、新規のメーカーにアプローチする際に有利な交渉材料になります。**また、商品を継続的に販売することで海外メーカーとの信頼関係が深まり、メーカー側から新規のプロジェクトを提案されるようなこともあります。

⚠ 店舗販売のデメリット

卸からの引き合いがあれば積極的に取引を検討したほうがいいですが、以下のデメリットには注意してください。

■ 利益率が低い

卸業者を通すと掛け率は45 ～ 60％となり、どうしても利益率が低くなります。

■ ネット販売との価格調整が必要

店舗販売とネット販売はどちらもやったほうがいいのですが、どちらも実施する場合には価格調整の自由度がなくなる点に注意してください。たとえば店舗では1万円で売っている商品をAmazonで8,000円まで値下げすると、不利益を被る店舗から「Amazonで値下げしないでください」とクレームが届く、といった具合です。

■ 店舗とのやりとりが増える

卸業者や実店舗に電話連絡しなければいけない場合、日中の営業時間内になりますから副業の方は対応が難しい場合もあります。メールやLINEのやりと

りで済まない場合は、昼間の対応をしてくれる外注スタッフを見つけるなどの
必要が出てくるかもしれません。

⚠ 店舗販売時に確認すべき内容

　店舗販売時は、相手方と契約書を交わすこともあります。契約書を作成する
にしてもしないにしても、以下の内容に関しては双方で確認し、取り決めをし
ておきましょう。

■ 支払方法

　商品代金を現金で支払ってほしい場合は、現金払いと取り決めるようにして
ください。店舗販売は多くは現金払いが前提となっていますが、念のため確認
するようにしましょう。

■ 締め日と支払日

　商品代金の締め日と支払日を定めておきます。たとえば「毎月月末を締め日
とし、代金を翌月末日までに支払うこととする」などです。資金繰りを考慮
して、なるべく入金サイクルは短めになるように交渉しましょう。**目安は1カ
月、長くても2カ月**です。

■ 定価と掛け率

　定価と掛け率はもっとも重要です。当初予定していた一般販売価格を下回ら
ないように注意し、その定価と掛け率で十分な利益が得られるかどうか利益計
算で検討してください。目安は、卸業者や実店舗に販売を任せられることを考
慮して利益率20％といったところでしょう。

■ 最低ロット数

　最低ロット数についても協議しておきましょう。ロット数によって掛け率を
増やしてほしいと卸業者や実店舗から要望されるようであれば、利益率を十分
考慮のうえ検討してください。

■ 契約期間と延長の方法

　契約期間と、契約期間を延長する場合の方法を決めます。継続的に契約する
前提であるなら、契約は自動的に更新され、延長期間は1年間などとしておく
といいでしょう。「契約期間は2年間とする。契約期間終了の申し出は契約満了

の3カ月前に行うこと。契約終了の申し出がない場合は、自動的に1年間の契約延長とする」といった具合です。

■ 倉庫への納入費用と店舗への発送費用負担

　倉庫への納入費用と店舗への発送費用をどちらが持つのかを取り決めます。たとえば、最低ロット数以上の取引になる場合はこちらで持つが、最低ロット数を下回る場合は卸業者や店舗負担にするなどです。

---

9 4 　一般販売の主な販路❷
>>> Makuakeストア

「Makuakeストア」は、クラファンプロジェクトが終了し、リターン商品の配送が完了したあとで商品を一般販売できるMakuake特有の機能です。**図9-3**のように「商品化したリターンを見る」の表示があるのがMakuakeストアです。

　クラファンでの支援同様に商品の売上に対して20％の手数料がかかりますし、送料も負担します。そのため、一般販売が軌道に乗るまで利用するのはいいですが、軌道に乗ってきたらご自分で保有する販路に絞って販売することをおすすめします。

図 9-3　Makuake ストア

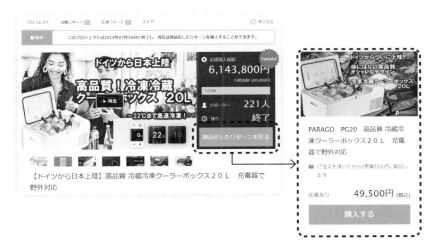

なお、GREEN FUNDING、CAMPFIRE（machi-yaも含む）の場合はプロジェクト終了後、手数料なしで一般販売先のリンクを設置してもらうことができます（**図9-4**）。一般販売する際は担当キュレーターに連絡しておくといいでしょう。

図9-4　GREEN FUNDINGの自社ECサイトへのリンク

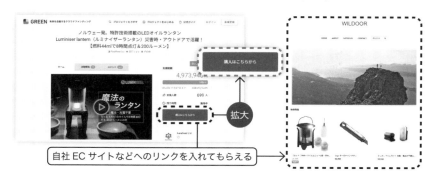

---

9 5 　一般販売の主な販路❸
>>> プラットフォーム

ネットで一般販売する際の販路は、Amazon、楽天、Yahoo!ショッピングなどの代表的プラットフォームや自社ECサイトがあります。結論を先にいうと、よほど親和性の高い商品でなければプラットフォームを単体で利用することはおすすめしません。自社ECサイトと併用することをおすすめします。

⚠ Amazon

Amazonは、商品の保管、注文処理、配送、返品対応、顧客対応を出品者に代わって代行してくれるFBA（Fulfillment by Amazon）を月額4,900円で利用できます。作業負担を軽減できる仕組みが確立されており、しかもAmazonがすべて対応することで消費者にも安心感を与えられます。

ただ、Amazonの消費者は、クラファン支援者と違って付加価値の高い商品よりは一般的で安価な商品を求める傾向があります。Amazonでは価格競争が前提で、ライバル商品に比べて一定の価格を超えると売るのが難しくなります。商品ページもクラファンほどは商品の魅力を伝えやすいものになっていません。

　有名ブランド商品であれば高単価でも売れますが、**登場したばかりの無名で高単価の商品にAmazonは不向き**です。また、中国勢に真似されそうな商品は、すぐに類似商品が出回ることになります（⇒P.86）。

　ネガティブなことを書きましたが、クラファンの商品をAmazonに出品する意味もあります。1つは自社ECサイトとの併用です。**BASEやShopifyで出品し広告出稿しても、その広告を見てAmazonで購入する人が一定数います**。Amazonのヘビーユーザーなら、商品の広告を見てピンと来たら、すぐにAmazonのアプリを立ち上げて検索し、商品をカートに放り込んだことがあるのではないでしょうか？　このように広告を見て、ほしいと思った人の受け皿としてAmazonを利用します。BASEもShopifyも「Amazon Pay」を使った決済ができるので、Amazonユーザーが自社ECサイト経由で商品を購入することも増えています。

　もう1つは、**AmazonのFBA倉庫に納品すると多販路展開できるサービスであるセールモンスターを利用し、商品の露出を高めるため**です。セールモンスターについてはP.278で詳しく説明します。

⚠ 楽天

　Amazonに次ぐ代表的なプラットフォームである楽天は、出品審査がやや厳しく、また**図9-5**に示すように月額利用料が高いのがデメリットです（Amazon FBAの月額利用料が4,900円であることと比べると高額）。しかもAmazonと違って顧客対応を自分でやらないといけないので、ひとりビジネスの場合は大変です。

図9-5　楽天の出店プラン（1年契約プラン）

	がんばれ！プラン	スタンダードプラン	メガショッププラン
月額出店料 （税別）	19,500円／月 年間一括払	50,000円／月 半年ごとの2回分割払	100,000円／月 半年ごとの2回分割払
システム 利用料（税別）	月間売上高の 3.5～7.0%	月間売上高の 2.0～4.5%	月間売上高の 2.0～4.5%
登録可能 商品数	5,000商品	20,000商品	無制限 ※1
画像容量	500MBまで	5GBまで	無制限 ※1

※1 メガショッププラン「登録可能商品数」と「画像容量」は無制限だが、それぞれの初期値は50,000商品と5GB
※2 2022年11月時点
出典：楽天市場　出店プラン・費用
https://www.rakuten.co.jp/ec/plan/

Chap.
9

一方で、楽天はセール期間中に集中的に売ることができたり、Amazonより
はクラファン商品との親和性が高かったりするところがあります。クラファン
LPのような訴求力が高い商品ページを作成できるので商品価値も伝えやすい
です。手数料や顧客対応の点でハードルが少し高いですが、スタッフを雇用す
るほどの事業規模になり、かつ一般販売の売上が安定してきたら検討の余地が
あります。

ⓘ Yahoo!ショッピング

　Yahoo!ショッピングのメリットは、Amazonや楽天のように月額利用料な
どのランニングコストがかからない点です。法人の方は登記簿謄本を提出し、
個人事業主の方は開業届と青色申告承認申請書の提出が必要となります。最近
は出店審査が厳しい傾向にあります。

---

9 6 一般販売の主な販路❹
>>> 自社ECサイト

　ネットで一般販売するもう1つの方法は、自社ECサイト（ネットショッ
プ）を立ち上げる方法です。自社ECサイトであれば価格競争も起こらず、独
自のブランドとして認知されやすくなります。**ネットショップ作成サービスに
よっては無料でECサイトを開設できます。商品のブランド価値を保つために
も自社ECサイトの利用をおすすめします。**ただ、自社ECサイトはAmazon
や楽天のような集客力がなく、SEO対策も難しいので、消費者を流入させる
ために広告を使って集客する必要があります。

　自社ECサイトを作成できるサービスはたくさんありますが、おすすめは
「BASE」と**「Shopify」**です。どちらも決済機能が付いたLPのようなイ
メージでECサイトを作成できます。**一般販売初心者の方はBASE、自社EC
サイトが軌道に乗り月商100万円以上となったらShopify**がおすすめです。

ⓘ BASE

　BASEはECサイト開設が簡単で、月額利用料無料からスタートできるので、
手軽に一般販売を開始したい方におすすめです（**図9-6**）。料金プランは、月
商17万円を超えると月額5,980円の「グロースプラン」に切り替えたほうが

お得になっています。プランの切り替えはいつでもできますし、プランによる機能の違いもありません。

図9-6　BASEの料金プラン

	スタンダードプラン	グロースプラン
月額利用料	無料	5,980円
売上に対してかかる手数料	・サービス利用料3% ・決済手数料3.6％＋40円	決済手数料2.9%

※2022年11月時点

　BASEには「Pay ID」という商品購入をクイックにできる購入者向けショッピングサービスがあり、利用者は2022年8月時点で900万人を超えています。Pay ID経由で商品が検索されて購入されることもあり、一般販売初心者の方でも売りやすさがあります。

　また、以前はLP風のネットショップを作ることが難しいところがありましたが、現在は簡単に作成できます。クラファンLPを参考にしてネットショップを作成するといいでしょう。

ⓘ Shopify

　Shopifyは世界175カ国、数百万以上の店舗のECサイトに使用されている世界シェアNo.1のネットショップ作成サービスです。料金プランは「ベーシックプラン」「スタンダードプラン」「プレミアムプラン」があり、それぞれ決済手数料のほかに月額利用料が発生します（**図9-7**）。基本はベーシックプランを利用し、月商400～500万円以上になってきたらスタンダードプランへの切り替えを検討しましょう。

　ShopifyはLPを作成することが可能なサービスです。クラファンLPをもとに作成しましょう。BASEは商品写真登録数が1商品あたり20枚までであるのに対し、Shopifyは250枚まで登録可能で、自由度ではShopifyのほうが上回ります。また、アプリ（拡張機能）が非常に充実しておりBASE以上に自由自在にカスタマイズできます。決済方法もBASEより豊富です。自由度が高い分、使いこなすのは大変ですが、本格的に自社でネット販売したい場合はShopifyのほうが使い勝手がいいでしょう。

Chap.
9

275

図9-7　Shopifyの料金プラン

	ベーシック プラン	スタンダード プラン	プレミアム プラン
月額手数料	25ドル （3,375円）	69ドル （9,315円）	299ドル （40,365円）
日本のオンラインクレジットカード 手数料	3.4%	3.3%	3.25%
海外／Amexのオンラインクレジット カード手数料	3.9%	3.85%	3.8%
JCBのオンラインクレジットカード 手数料	4.15%	4.1%	4.05%
外部サービス取引手数料	2.0%	1.0%	0.5%

※ 2022年11月時点
※ 1ドル＝135円で換算

ⓘ BASEとShopifyの比較

　先ほどお伝えしたように、一般販売初心者であればBASE、軌道に乗ってきたらShopifyがおすすめです。BASEとShopifyの違いについて**図9-8**にまとめます。

図9-8　BASEとShopifyの比較

	BASE	Shopify
初期費用	無料	無料
月額費用	スタンダード ➡ 0円 グロース ➡ 5,980円	ベーシック ➡ 3,375円 スタンダード ➡ 9,315円 プレミアム ➡ 40,365円 ※ 1ドル＝135円で換算
決済手数料	スタンダード ➡ 6.6%＋40円 グロース ➡ 2.9%	国内 ➡ 3.25～3.4% 海外／Amex ➡ 3.8～3.9% JCB ➡ 4.05～4.15% 外部 ➡ 0.5～2.0%
入金サイクル	10日（土日祝日除く） ※ お急ぎ振込は最短翌日 （手数料1.5%追加）	最短5日

主な決済手段		
クレジットカード	○	○
スマホ決済	○	○
コンビニ決済	○	○
銀行振込	○	○
代金引換	×	○
後払い	○	○
PayPal	○	○
Amazon Pay	○ ※ 一部機能制限あり	○ ※ 設定は法人限定
楽天ペイ	×	○
PayPay	×	○
Apple Pay	×	○
Google Pay	×	○
ネットショップ作成機能		
商品登録数	無制限	無制限
商品写真登録数	20枚	250枚
テンプレート	有料・無料	有料・無料
アプリ（拡張機能）	85種類 ほとんどが無料	約7,000種類以上 有料・無料あり
独自ドメイン	○	○
SSL（https設定）	○	○
SNS連携	○	○
Google Analytics	○	○
広告効果測定	○	○
ブログ機能	○	○
予約販売	○	○
ロゴ非表示	有料（月額500円）	無料

※ 2022年11月時点

Chap.
9

**セールモンスターで
自動的に多販路展開できる**

　Amazon、楽天、Yahoo!ショッピングなどで一般販売をしていく場合に検討したいサービスが、簡単に多販路展開できる**「セールモンスター」**です（**図9-9**）。1つの商品を、Amazon、楽天、Yahoo!ショッピングなど別々に出品しようとすると手数料がかさみますし手間も増えます。場合によっては出品審査に時間がかかってしまい、スムーズに出品できないこともあります。**セールモンスターは、Amazonのサービスを利用して出品を代行してくれるサービスで、ワンストップで多販路展開をサポートしてくれます。**

図9-9　セールモンスター

(!) セールモンスターのサービス概要

　セールモンスターは、AmazonのFBAマルチチャネルサービスを利用しています。FBAマルチチャネルサービスは、楽天やYahoo!ショッピングなどAmazon以外に出品する商品をAmazonのFBA倉庫から発送してくれるサービスです。
　FBAマルチチャネルサービス自体は、Amazon以外のプラットフォームの利用をサポートするものではありません。出品手続きは自分でしなくてはならず、それぞれのプラットフォームで手数料が発生し、顧客対応も自分でしな

くてはいけません。そこで、ほかのプラットフォームへの出品の手間やコストを削減し、ワンストップで出品代行をしてくれるのがセールモンスターです（**図9-10**）。**顧客対応の窓口も代行でき、煩雑な管理も必要ありません。**セールモンスターを利用すれば、以下のプラットフォームで自動対応してくれます。ただし、**いずれもセールモンスター所有のショップとなる**点は注意が必要です。

> ▶ 楽天
> ▶ Yahoo! ショッピング
> ▶ ポンパレモール
> ▶ au PAY マーケット
> ▶ Qoo10
> ▶ ヤマダモール
> ▶ Shopify
> ※ 2022年11月時点

図 9-10　セールモンスターの利用イメージ

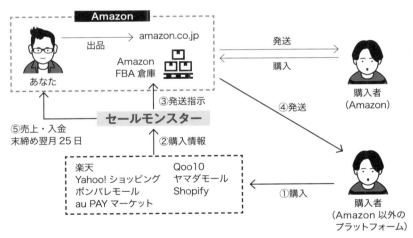

出典：セールモンスター　サービス概要
https://ssc.salemonster.jp/static/dists/pdf/ServiceOverview.pdf

Chap.
9

ⓘ セールモンスターの料金プラン

　セールモンスターに登録すると、各プラットフォームの出店手数料はセールモンスター負担となります。また、10商品までは無料で利用できます（**図9-11**）。ただし、1商品1バリエーションとなる点には注意してください。たとえば、商品の色が赤、黒、白の3色でサイズがS、M、Lの場合は9商品というカウントになります。

図9-11　セールモンスターの料金プラン

10商品まで	無料
11商品以降	1商品あたり132円（税込）
特別プランSalmon1000 ※ 1,000商品まで出品可能	11万円（税込）
特別プランSalmon Premium ※ 1,000商品まで出品可能 ※ 販路拡大コンサルティング付き	165万円（税込）

※ 2022年11月時点

　セールモンスターは、自分が受け取りたい金額を設定すれば、各プラットフォームの手数料を上乗せした販売価格が自動で設定される仕組みになっています。実際には、設定した受取金額からFBAマルチチャネル利用料が差し引かれます。

9 8 　安売りに走らず
ブランド価値を守ろう

　ネットでの一般販売についていろいろお伝えしましたが、取り組むことの一例をまとめると以下のようになります。

> ▶ 初心者はBASEで自社ECサイトを作成、一般販売が軌道に乗ったらShopify
　に切り替え
> ▶ Amazonで自社商品ページを作成

▶ Amazon以外でも多販路展開する（セールモンスターを利用など）
▶ 一般販売が軌道に乗ったら楽天で自社商品ページを作成
▶ 広告で自社ECサイトに誘導
▶ 力を入れたい商品は一般販売開始前に告知して見込み客リストを獲得
▶ クラファンの活動報告や既存リスト、SNSでも一般販売を告知

⚠ 力を入れたい商品は 一般販売を始める前にリストを獲得する

　クラファン支援額が大きく卸の引き合いも多かったなど力を入れたい商品は、一般販売前に見込み客リストを獲得するようにします。方法は、事前集客（⇒P.208）と同様に「Facebook広告 ➡ ティザーLP ➡ LINE」となります。場合によってはGoogleディスプレイ広告も使い、クラファンのプロジェクト期間中にリーチできなかった人にも認知を拡大します。先行割引価格や割引クーポン配布で販売するのもありですが、クラファン終了後の半年間はクラファン販売価格を下回らないように注意しなければいけません。

⚠ 一般販売開始後は 広告出稿して自社ECサイトの露出を高める

　自社ECサイトで一般販売を開始したら広告を出稿して自社ECサイトの露出を高めます。広告の流入先はBASEやShopifyで作ったECサイトになりますが、Amazonや楽天で商品を購入する消費者も少なくありません。クラファンのプロジェクト期間中と同様にFacebook広告やGoogleディスプレイ広告を中心に運用します。

　そのほか検索キーワードがある商品についてはGoogleショッピング広告も検討の余地があります。Googleショッピング広告は、**図9-12**のように検索結果画面にECサイト、Amazon、楽天などで販売している商品の広告が掲載されます。商品画像とともに表示されるため画面占有率が高く、消費者の目にとまりやすいメリットがあります。

Chap.
9

図 9-12　Google ショッピング広告

⚠ できるだけ取りこぼしがないように告知する

　自社 EC サイトで一般販売を開始したら、クラファンの活動報告や LINE 公式などの既存リストのほか、Instagram や Twitter などの SNS でも告知するようにしてください。クラファンのリターンより商品価格が高くなるので盛り上がりには欠けますが、一定数いる商品を買い損ねた人たちにリーチできます。

⚠ 価格競争ではなくブランド価値の維持向上を

　ネットで一般販売する際に心がけたいのが、ブランド価値の維持向上に努めることです。言い換えると、安易な価格競争をしないことです。安易な価格競争はブランド価値を下げます。価格競争で利益を下げるくらいであれば、その分広告費をかけて露出を高め、クラファンの支援者以外にも認知拡大を図りましょう。

　これは長期的にビジネス展開するうえで重要です。同じ海外メーカーと何度も取引することで、同じブランド商品をいくつも一般販売することがあります。付加価値の高い商品を世に送り出し続けることで徐々にブランド価値が向上し、Amazon や楽天などのプラットフォームに頼らない販売ができます。理

想は、自社ECサイトと実店舗だけでも継続的に販売できるようにすることです。

　ブランドを育てて国内で認知されるようになれば、それは物販プレイヤーの1人というよりは立派なビジネスオーナーといっていいでしょう。**育てたブランドで安定的に事業を展開してもいいですし、売却して大きなキャッシュを得ることもできます。**あくまで長期的な展望の話にはなりますが、クラファン単発だけでなく、このようなビジネス展開に進むことができると大きな夢をつかむことができます。

Chap.
9

 嬉しい悲鳴なのですが、想定よりも支援者が集まりそうでメーカーの在庫が不安です。遅延を防ぐ方法を教えてください。

 途中経過をメーカーに伝え、在庫確認を必ず行ってください。

解説　想定よりも支援者が集まりそうなのは嬉しいことですね。過去のプロジェクトでも、スタートダッシュから想定以上の支援が集まったことがあります。このような場合は、必ず途中経過をメーカーに連絡して、事前に在庫を確保するようにしてください。

　また、仕入代金を支払ってからメーカーに発注する手順の場合は、リターン商品配送までの期間を長く設定するようにしましょう。もしくは、短期融資を受けて早く発注するという手もあります。

　なお、遅延が発生した場合は速やかに支援者に遅延の報告をして、その後の生産状況を都度報告していけば炎上は起きません。遅延を防ぐように最大限努力するのが一番ですが、万が一遅延が起きてしまっても誠実な対応をすれば問題ないのでご安心ください。

 一般販売はリターン商品配送完了後とのことですが、住所不備で返送された商品があると一般販売はできないのでしょうか？

 商品の返送があっても一般販売は可能です。

解説　リターン商品が支援者の自宅に到着したかどうかではなく、すべての支援者に配送が完了した時点で一般販売ができます。したがって、住所の不備などで商品が返送されてきても一般販売は実施できます。

物販×クラファンの 成功をさらに 加速するために

Chapter 10 物販×クラファンの成功を さらに加速するために

ここまで物販クラファンのノウハウをいろいろな面からお伝えしてきましたが、最終章となる本章ではさらなる成果を生み出すための心構えや秘訣をお伝えします。成果を出す人のマインドセット、時短で収入を最大化できる外注化のスキル、選択肢としての融資や助成金の知識なども手に入れて加速度をつけていきましょう。

---

10 1 習慣化のための 5つのコツ

　P.53で、はじめて物販クラファンに取り組むときの心構えとして「個人事業主でも十分できる」「『初心者だから』は禁止」ということをお伝えしましたが、本書では段階的にステップアップできるように、初心者向けと中上級者向けに分けて説明した項目もあります。これは、ご自分ができるところから始めるほうが習慣化でき、スキルも蓄積されるからです。成功するためには、まずは習慣化することが大切です。

　一度プロジェクトを経験すればタスクが理解できるので、2回目以降はもっと楽に、効率的に作業が進められます。なんでも一番大変なのは最初です。最初に習慣化できるかどうかで大きな差が生まれます。

(!) 少しでもいいので毎日時間を確保する

　特にこれから物販クラファンを始める人は、毎日少しでも時間を確保するようにしてください。週に1日だけ12時間作業するというのはおそらく誰でもできます。しかし、毎日2〜3時間でも時間を作り、継続的に作業できる人はほとんどいません。これが半年、1年となれば、できる人はさらに絞られます。習慣化には何も難しいテクニックなどはないのに、ほとんどの人ができません。しかし誰もできないからこそ、半年、1年と経つころには習慣化した人としていない人で雲泥の差が生まれます。

　私が物販を始めたころは会社員との兼業で、家族もいるので平日は以下の

ようなスケジュールでした。

```
 3:30 ➡ 起床
 3:40 〜 5:40 ➡ 物販
 7:00 〜 19:30 ➡ 本業
20:30 ➡ 帰宅
20:30 〜 21:40 ➡ 夕食、風呂、子供の相手など
21:40 〜 22:40 ➡ 物販
23:00 ➡ 就寝
```

　本業、家族との時間、睡眠時間を確保しようとしたら、どうしても物販に充てられる時間は3時間が限界でした。そのため、**自宅でPCの前に座るときは思考と時間が必要な作業に集中しました。**ほかの時間もなるべく物販のことを考え、本業の空き時間や通勤時間を使ってマルチタスクでできる軽めの単純作業をするようにしました。それでも作業が追いつかなければ休日に補完して、「作業を一切しない」という日は作りませんでした。**一度止まると、また走り出すまでに大きなエネルギーが必要**だからです。

　なお、私が当時早朝を作業時間に充てたのは朝に仕事をするのが効率的だったからです。だからといって早朝作業をすすめるつもりはなく、夜のほうが集中できる方はそれでかまいません。あくまで自分に合ったやり方で習慣化を目指してください。

① やらないのがストレスになるまでやる

　習慣化について気をつけてほしいのは、無理をして急激に作業時間を増やさないことです。いくら張り切っていても、急激な習慣の変化で体調を崩してしまったら本末転倒です。バランスのよい食事や睡眠時間の確保などの体調管理もビジネスの一部です。

　また、急激な作業時間の増加はモチベーションが維持しにくく、何もしない日が発生しやすくなります。人間の脳や身体は急激な変化には大きなストレスを覚え、すぐに快適なほうに押し戻そうとします。たとえば学生時代帰宅部で、何年も運動してこなかった人が翌日から10km走る目標を立てても、おそらく3日ともたずに挫折するでしょう。いきなり10kmではなく、500mや1km程度のランニングから始めて、徐々に距離を増やしていくほうが継続し

やすいのは明らかです。

　そして習慣化するようになると、今度は走らないほうがストレスになり、走らないと気が済まなくなります。習慣化することで快適なことが逆転するので挫折しません。**物販クラファンも同じで、作業しないほうがストレスになるまで継続する**のです。無理はせずに自分のペースで継続することで、物販クラファンに取り組むことがどんどん快適になります。

⚠ 自分の時間を確保できる環境を作る

　家族や子供がいる方は、彼らの理解を得ながら最大限自分の時間が作れる環境作りに努めてください。家庭でも職場でもgive＆takeは成り立ちますから、今まで以上に家族のためになることをしてあげれば理解を得やすくなるはずです。

⚠ 他人と比べず毎日1％の成長に目を向ける

　「経験ゼロから3カ月で月収100万円！」「はじめての物販クラファンで支援額1,000万円達成！」……私のクライアントのなかにはこのようにいち早く結果を出す人もいます。一方で、そんな結果を見ると「自分は全然だな……」「うまくいかないな……」とネガティブな気持ちになる方もいると思います。

　実践して結果を出す人が大勢いる環境に身を置くことは大事ですが、だからといって自分を誰かと比べる必要はありません。なかにはクラファンははじめてだけれど物販経験が長い人もいます。本業で商品を売る経験が豊富な人もいます。逆に物販そのものがはじめてで、本業でもまったく関係のない仕事をしている人もいます。そもそものスタートラインがみんな違うのです。スタートラインが違う人と比べて落ち込むのは意味がありません。時間がかかっても、ご自分が目指す理想の状態が手に入ればよいのです。

　ですから、**「今日の自分は昨日より1％成長しているか？」**を考えてください。毎日1％成長すれば、1年後には1.01の365乗で約37.78倍（3,778％）の成長です。2年後には約1,427.59倍（14万2759％）です。今日は昨日より1％成長することだけを意識して物販クラファンを継続しましょう。

! 目的意識を持つ

　物販クラファンに限らずビジネスで成功するには「理由」が必要です。「なぜその作業をやるのか？」「その作業をやることによってどうなるのか？」といった明確な目的意識のある行動には明確な結果が得られ、曖昧な行動の先には曖昧な結果しか得られません。

　野球がうまくなりたいと思い、何も考えずただ単にバットを振り続けるのか？　野球がうまくなりたいと思い、ピッチャーの投げる姿を想像し、配球をイメージしながらバットを振り続けるのか？　明らかに後者のほうがよい結果を生むでしょう。

　一見やっていることが同じでも、目的意識の違いで得られる結果はまったく異なります。毎日0％の成長では、1年後の成長も0％です。「物販クラファンを1年やっています。でも10万円も稼げていません」とは、そういうことです。**すべてに目的意識を持ち、また、すべてに明確な目的意識を持てるように訓練をすること。**私が自分を変えるために意識してきた、そして今も意識していることです。

10 2 成果を出したい人に求められる 本当の実践力

　成果が出る人と出ない人の大きな違いは実践しているかどうかです。よくインプットとアウトプットという言葉があります。インプットは知識を頭に入れること、アウトプットは実践することですね。野球にたとえればバッティングの技術を学ぶのがインプット、素振りやフリーバッティングで実践するのがアウトプットです。当然、成果が出るのは後者で、技術だけ学んでもヒットを打てるようにはなりません。

　物販クラファンでも同様です。何もノウハウをインプットしなければアウトプットしようがありませんが、重要度の割合でいえば、「インプット＝1、アウトプット＝9」くらいで考えてください。「物販クラファンのノウハウを学ぶ ➡ 物販クラファンの実践 ➡ うまくいかない点を解決する。ノウハウを吸収する ➡ 物販クラファンの実践」のようにアウトプットありきのインプット、つまり実践のなかでノウハウを吸収することが早く成果を出すためには必要です。

必然的に、知識を学ぶより実践のほうが多くないといけません。インプットした知識を使ってアウトプットして、うまくいかなかったら改善してまたアウトプットする。ここまでやってはじめて、成果の出る「実践」といえます。

(!) 「本当に今必要か？」を考えてインプットする

必要なインプットとは、アウトプットすることのできるインプットです。頭でっかちに知識だけ詰め込んでもほとんど意味がありません。今必要のない知識の習得は、時間と脳のメモリの無駄づかいです。

たとえば事業用ホームページを作ろうとして、HTMLやCSSの知識を詰め込むのは無駄です。そんな知識がなくても事業用ホームページは外注すれば5万円以内ですぐ作れます。いいLPにしようと、実践前にコピーライティングやマーケティングの本を何冊も読む必要もありません。たしかにおすすめしたい良書はありますが、実践しながら読んだほうが早く知識を吸収できます。目的・目標に直結することに一点集中で取り組みましょう。

(!) ある程度の勝算があれば実践する

たまに「100％の勝算がないと動かない」人がいますが、これでは成果は望めません。大切なことはアウトプットありきのインプットです。事前準備ばかりして、リスクがゼロになるのを待っていたらいつまでも実践できません。**ビジネスのリスクがゼロになる日は永遠に来ません**から、まったく勝算がないならまだしも、ある程度の勝算があれば前に進みながら改善して成果を出していきましょう。

ビジネスは常に「テスト」と「結果の検証」の繰り返しです。つまり、**PDCAサイクル**がとても重要です。

▶Plan（計画）➡ 物販クラファンのノウハウを学ぶ
▶Do（実行）➡ 物販クラファンの実践
▶Check（評価）➡ うまくいかない点を解決するためのノウハウを吸収する
▶Act（改善）➡ 物販クラファンの実践

支援が思ったより伸びなかったときはもちろん、予想以上に支援が集まったときもその理由について評価します。「なぜこの結果になったのか？」を考える

ことで実践力を身につけることができます。常にPDCAサイクルを意識しながら2回、3回と経験を重ねることで改善点がわかるようになります。評価・改善しながら経験値を上げ、利益が得られる確率を高めていきましょう。

10 3 計画的に成果を出すための タスク管理

物販クラファンは、単純作業が中心となるせどりや転売と比べるとタスクが多く、リードタイムが長いです。そのため、タスク管理やタイムマネジメントがほかの物販以上に重要になります。

① ブレインダンプ

時間を有効活用するには、目標に向かって自分がやるべきことに集中するのが一番です。目標を管理して効率よくタスクを進めるための方法の1つが**「ブレインダンプ」**です。ブレインダンプは、頭のなかの情報を書くことですべて吐き出し、脳内を整理する方法です。

やることはいたってシンプルで、とにかく頭のなかにあることを書き出すだけですが、とても頭がすっきりして、やるべきことが明確になります。PCでも手書きでもいいですが、手書きのほうが脳が活性化するのでおすすめです。

自分でビジネスを動かしていると、あちらこちらで「時間が足りない」と感じるようになるはずです。副業ならなおさらです。このようなときは、今自分が置かれている状況を把握し、物事を効率よく進めるためにブレインダンプを行いましょう。

■ とにかくすべて書き出す
以下の5つについて頭のなかにあることをすべて書き出しましょう。

① ほしいものや手に入れたいものなど自分の望みをすべて書き出す
② 2週間以内にやらなければならないことをすべて書き出す
③ ビジネスアイデアをすべて書き出す
④ 今の悩みごとをすべて書き出す
⑤ やらないことを決める

Chap. **10**

ブレインダンプして出てきたことを、さらに細分化して書き出すことも有効です。たとえば「① ほしいものや手に入れたいものなど自分の望みをすべて書き出す」で、「家族の幸せ」というものが出てきたとします。そうしたら「家族の幸せ」とは何かを以下のようにさらに深くブレインダンプします。

> ▶ 子供と近所の公園で遊ぶ
> ▶ 家族でおいしい焼肉屋に行く
> ▶ 家族と一緒にバラエティ番組を見て笑っている
> ▶ 家族みんなで沖縄まで旅行する

　このように、どんどん具体化していきましょう。あるキーワードから放射状に線をつないでイメージを広げるマインドマップを使って考えてもいいでしょう（**図10-1**）。具体的であればあるほど実行しやすいですから、「これ以上出てこない」といえるまで思いつくことを書き出してください。

図10-1　マインドマップ

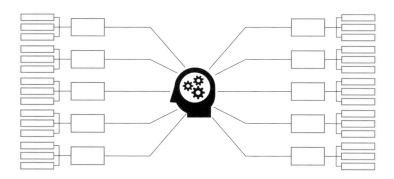

■ 書き出したことに優先順位をつける

すべて書き出したら、今度は項目ごとに優先順位をつけていきましょう。一番ほしいものや重要なことを優先的にピックアップしていきます。

その際、「③ ビジネスアイデア」は、「② 2週間以内にやらなければならないことをすべて書き出す」のなかに入れて優先順位を決めます。優先順位をつけていくことで、自分が何をするべきか、何をやめるべきかが具体的に見えてきます。

最終的には各リストをまとめて「やることリスト」と「やらないことリスト」を作成し、優先順位の順に並び替えてタスク化します。「やることリスト」と「やらないことリスト」は、いつでも目に入るところに貼っておきましょう。

■ 「やることリスト」を2週間実行したあとにアップデートする

「やることリスト」を2週間、優先順位の高いものからこなしていきます。淡々と「やることリスト」をこなしていくと、別の「やることリスト」やビジネスアイデアが浮かんでくることもあります。特に物販クラファンは、時間の経過に伴ってタスクが変わります。2週間に一度はブレインダンプをしてアップデートするようにしましょう。

① ポモドーロ・テクニック

「ポモドーロ・テクニック」は、生産性を大きく上げることを目的とした時間管理テクニックです。私の経験からいっても間違いなく作業効率が上がりますので、ぜひ取り入れてみてください。

やることは**「30分に1回、5分の休憩をとる」**という、いたってシンプルなものです。人間が集中できる時間は人それぞれ違います。1〜2時間集中できる人もいれば30分で息切れする人もいます。持続時間が短い人ほど集中力を最大限に活用しなければいけません。ポモドーロ・テクニックによって、高い集中力を保てる短時間作業に細かく区切り、時間あたりの生産性を上げるのです。具体的には、30分のセットを細かく休憩を入れながら4セット繰り返します。最後は30分程度の長い休憩を入れます。

Google Chromeの拡張機能やスマホアプリに「ポモドーロタイマー」があるので試してみるとよいでしょう。

　重要なのは、25分の間は1つのタスクにのみ集中することです。たとえば商品リサーチで25分、海外メーカーからのメールチェックと返信に25分といった具合です。25分のなかでリサーチとメールチェックを同時に行うなど作業の幅を広げると作業効率が大幅にダウンするので、1つのことに集中してください。

　もう1つ重要なのは、休憩時は必ず休憩することです。作業を短時間に区切ることで集中力を高いまま維持できます。興が乗っているときでも休憩してください。きちんとルールどおりに休憩することで、必然的に時間あたりの作業量が多くなります。

！ タスク管理のおすすめツール

　いくつものタスクが存在する物販クラファンですが、以下のタスク管理ツールを使って漏れなく進めてください。目の前のことを粛々とこなしていくことが成功の近道です。タスクを1つひとつ確実に終わらせていきましょう。

■ Trello

「Trello」は、ホワイトボードに付箋を貼ったりはがしたりする感覚で簡単にタスク管理ができるツールです（**図10-2**）。無料プランと有料プランがありますが、個人で利用する分には無料プランで十分です。

　Trelloでは、タスクを「カード」として登録し、「ボード」と呼ばれる場所で管理します。ボードに貼ったカードはドラッグ＆ドロップでいつでも動かせます。カードには細かな設定が可能で、たとえば締め切りを設定して、それを過ぎるとリマインドしてくれる、などができます。

図 10-2　Trello

■ Todoist

　タスク管理ツールは多機能なものが多いですが、「Todoist」の特徴はシンプルでわかりやすいツールであることです（**図10-3**）。使いづらさでストレスを覚えることがなく、直感的に使いこなすことができます。Todoistも無料プランと有料プランがありますが、個人で利用するなら無料プランで十分でしょう。

図 10-3　Todoist

10 4 最小の労力で成果を最大化する 作業外注のコツ

　納品やリターン商品配送を配送業者に代行してもらったり、広告運用を広告代理店に外注化すれば、相手はプロなので基本的にお任せできます。一方で、フリーランスや在宅ワークの方に仕事をお願いする場合は、プロにお願いするのとは勝手が違います。作業外注というと心理的なハードルを覚えるかもしれません。しかし、実際に取り組んでみると拍子抜けするほどスムーズで、作業が楽になり、「時短で稼ぐ」を実現できます。物販クラファンでは、以下のように作業外注する場面が数多くあります。

```
① 事業用ホームページの作成
② 海外商品のリサーチ、メーカー連絡の窓口探し
③ メーカー交渉時の翻訳、通訳
④ クラファンLPのデザイン（場合によってはライティングも）
⑤ 広告運用
⑥ 納品、配送代行
```

　①・⑤・⑥については自分ではできないことも多く、ほぼ丸投げする以外ないのが現実です。依頼に少しコツがいるのが②・③・④です。リサーチや翻訳・通訳、LPデザイン作業の外注化についてお伝えします。

(!) 外注化の考え方

　商品リサーチのような自分でもできる作業は、自分でやってしっかり理解してから外注化を考えるという方も多いでしょう。たしかに商品リサーチは目利きを鍛えるためにも重要なので、はじめのうちはご自身でやってみるべきです。ただ、十分にコツをつかみ、もはや単純で面倒なタスクとなったら、売上次第でなるべく早く外注化を検討したほうがいいでしょう。

■ どんな作業をどんな人に外注したいか明確にする
　まず、自分のタスクを細分化し、それぞれのタスクの作業時間を洗い出して、面倒で時間のかかる外注したい作業を明確にしましょう。そのうえで、以

下のようにどんな人に外注したいかを考えるようにします。

> ▶ 専門的能力がいるのか？
>
> ▶ 1日何時間くらい働いてほしいのか？
>
> ▶ どれくらいの報酬で作業してほしいのか？
>
> ▶ 求めるものを完璧にこなしてほしいのか？
>
> ▶ 長期的に働いてほしいのか？
>
> ▶ 経験者を求めているのか？

■「使う」ではなく「助けてもらう」

　外注スタッフを「使う」ではなく、外注スタッフに「助けてもらう」という意識が大前提です。「使ってやっている。お金を払ってあげている」では、外注先とよい関係を築くことなどとてもできず長続きしません。**「自分ができないことを助けてもらう」というスタンスで臨みましょう。**

　特に在宅ワークをしている方のなかには社会的なつながりを大切にしている方も多いです。そのような方に「〇〇さんがリサーチして見つけてくれた商品のプロジェクトが成功しました。ありがとうございます」など感謝の気持ちを示すと、とても喜んでくれます。適正な報酬を支払うのはもちろんですが、感謝の気持ちを忘れないようにしましょう。そのほうがお互いストレスフリーですし、関係が長続きすると教育の手間が省けて効率的です。長く働いてくれる外注スタッフには報酬アップを検討するとよいでしょう。

■ マニュアルは録画で作ってもいい

　業務フローを正確に把握できるマニュアルが必要です。Wordなどでマニュアル資料を作ってもいいのですが、PCの画面を見せながら説明したほうが早い作業も多いです。そのため、自分がPCで作業しながら説明したところをZoomで録画して外注先に渡すのもいいでしょう。そのほうが誤解なく作業内容を説明できますし、ご自分の人柄も伝わりやすいです。

ⓘ おすすめの外注スタッフの傾向

　外注スタッフ選びにあたっては、クラウドソーシングサイトに登録されているプロフィールや実績、評価をモノサシにするのは当たり前ですが、年齢や性別にも外注スタッフ選びの基準があります。おすすめは、「社会人経験のある

Chap.
10

20 〜 30代、子育て中の主婦」の方です。なぜかというと以下のような方が多いからです。

> ▶ 外に働きに出ることはできないが、持っている能力は高い
> ▶ 社会とのつながりを求めている人が多い
> ▶ やりがいを持って長く働いてくれることが多い
> ▶ 会社員で副業している人より時間の融通がききやすい

　経験上、上記に当てはまらない「男性」「学生など社会人経験の浅い20代前半の独身男女」は、以下の理由からあまりおすすめしません。

> ▶ 仕事の選択肢が多いのですぐ辞めてしまう
> ▶ 仕事ができない、続かないことがよくある
> ▶ 仕事に対して言い訳が多かったり、独りよがりのプライドを持っていたりする
> ▶ 仕事のクオリティのわりに報酬アップを求めてくる

　もちろん若い男性でも仕事がバリバリできる方はいますし、主婦でも仕事が適当な方はいますが、私の経験では、確率論として上記の傾向に当てはまることが多いです。条件が同じような人が何人かいて、採用判断に迷うようなら主婦の方を優先することをおすすめします。

(!) 報酬の決め方

　外注スタッフの報酬については、各クラウドソーシングサイトで類似の仕事の相場を調べてください。作業内容によって報酬は大きく変わります。**単純作業系なら時給400 〜 600円、メーカーとの交渉に同席してもらう通訳など専門系なら時給4,000 〜 5,000円程度が妥当**です。
　単純作業とはいえ時給400 〜 600円では、安いと気が引ける方もいるかもしれません。しかし、在宅でできる仕事ということを考えれば、決して安い報酬ではありません。
　たとえば、スーパーのレジ打ちの時給が1,000円で、1日5時間、月12日出勤したとします。この場合の収入は、1,000円×5時間×12日＝60,000円です。スーパーまで電車で30分かけて通勤し、電車賃が毎日1,000円か

かっているとします。さらに仕事中に預けた子供の保育料が月2万円としま
す。この場合の実質的な収入は、60,000円－1,000円×12日－20,000円
＝28,000円です。拘束時間は、通勤時間込みで考えれば、（5時間勤務＋通勤
往復1時間）×12日＝72時間なので、実質の時給は28,000円÷72時間≒
388円です。これだったら、子供の面倒を見ながら在宅で仕事ができるなら
そっちのほうがいいと考える人は多いでしょう。

⚠ よい反応が得られる募集文の書き方と募集例文

　外注スタッフの募集文については、基本的に各クラウドソーシングサイトで
類似の仕事を検索し、求人できている募集文をモデルにするのがコツです。こ
こでは、例文とともに外注スタッフに選ばれるための募集文の書き方をお伝え
します。

■ 募集時に確認すべき内容
　図10-4に示したことは、募集時に確認するようにしてください。面談や
メールのやりとりをする前に、採用・不採用の当たりをある程度つけることが
できます。ただ、最初からあまり絞りすぎると応募がなくなってしまうので、
必要以上に条件を絞らないように注意してください。

図10-4　募集時に確認すべき内容

項目	備考
性別・年齢	おすすめは社会人経験のある20～30代、子育て中の主婦
居住している市区町村	採否には関係ないがコミュニケーションのきっかけになる
職歴	専門的能力やスキルを確認できる
勤務日数、1日の作業時間	あまり少ない場合は不可。目安は週3～4日だが依頼内容によって変わる
予定の作業時間帯	理想は日中。ただし通訳など例外もあり
仕事の実績・経験	似たような作業経験があるとスムーズ
PCの有無	PCを持っていない人は不可

Chap.
10

■ 応募者のウケがいい言葉

　以下のような言葉は応募する側の反応がいいです。応募する人の不安を解消する言葉として頭に入れておいてください。

> ▶長期希望
> ▶急募
> ▶専門知識不要
> ▶マニュアル完備
> ▶電話連絡なし（基本はChatworkなどのビジネスチャットを使用）
> ▶作業できない日に柔軟に対応（家族行事、お子さんの体調など）
> ▶人柄優先
> ▶固定報酬

■ 反応がよかった募集例文

　私がクラウドソーシングサイトに出した、翻訳外注募集文を以下に示します。ご自分の依頼したい作業に合わせて書き換えるなどしてください。

　この募集文は「ランサーズ」「クラウドワークス」「＠SOHO」「シュフティ」の4サイトに掲載し、28人の応募がありました。そのなかで4人と面談し、1人採用しています。

　このとき採用したのは主婦の方で、外資系企業の経理経験があり、貿易関係にも強い非常に頼もしい方でした。このように有能でも、「在宅で仕事がしたい」「在宅でしか仕事ができない」という方は大勢います。そういう人たちの力を借りてビジネスを拡大していきましょう。

件名
【急募】在宅での海外取引先とのやりとりの英語翻訳サポート　固定報酬　長期希望

本文
ご覧いただきありがとうございます。
はじめまして、○○と申します。

お仕事内容は、主に海外取引先とのやりとりの翻訳です。

英語⇒日本語　日本語⇒英語と、在宅にて翻訳作業をしていただきます。

自宅ですきま時間を活かせるので、子育て中の主婦の方にもぴったりのお仕事です。
主婦の方の家族事情等には柔軟に対応させていただきます。
私も小さな子供が2人おりますので、その点はご安心ください。

【募集条件】
・英会話ができる方（特にビジネス英語ができるとありがたいです）
・レスポンスのよい方
・報告、連絡、相談がしっかりとできる方
・PCをお持ちの方
・Zoomで通話ができる方
・Chatworkでやりとりができる方
・長期的にお仕事を行っていただける方

＜お仕事内容＞
・海外取引先からのメールを日本語に翻訳
・日本語の文章を英語に翻訳
・カタログなどの翻訳
・海外取引先との電話通訳（ほとんどありません）
※ 電話通訳はほとんどありませんので、電話が苦手な方はメールの翻訳だけでも
　OKです！

＜依頼数＞
・翻訳依頼のない日もあります
・打ち合わせなどが多いときは翻訳依頼も多くなります
・平均すると1日の翻訳依頼数は1〜2くらいです

＜業務時間＞
主に平日の9:00〜18:00の間に依頼します（例外的に左記以外の時間に依頼する場合もあります）。
特に締め切りなどはありませんが、ご都合に合わせてできる限り迅速なレスポンスをお願いしたいです。

家族行事やお子さんの体調不良などで作業できない日は柔軟に対応しますのでご相談ください。

＜報酬＞
・固定給　月6,000円
翻訳依頼が少なくてもお支払いします。
まずは1カ月の試用期間を設け、以降の継続の有無を決めさせていただきます。長期的にお付き合いできる方を希望しており、仕事内容やレスポンスで判断させていただきますので、ご了承ください。

＜勤務先＞
在宅でのお仕事になります。

＜連絡方法＞
連絡は基本的にChatworkで行います（電話はほとんどありません）。

【応募について】
以下の内容をご記入のうえ、エントリーをお願いいたします。

・お名前
・性別
・年齢（年代でかまいません）
・お住まいの地域（〇〇県〇〇市までで結構です）
・職歴、過去にやってこられた仕事について
・1週間のなかで作業できる日
・1日のなかでとれる作業時間と作業時間帯
・連絡のとれる時間帯
・そのほかアピールポイントなど（任意）

長期希望なので人柄を優先したいと考えています。
ご不明な点やご相談などありましたら、お気軽にお問い合わせください。

ビジネスパートナーとして長くお付き合いさせていただきたいと思っています。
ご応募お待ちしております！

■ おすすめのクラウドソーシングサイト

図10-5は、クラウドソーシングサイトのまとめです。いずれも初期費用がかからないので、1つのサイトだけ利用するのではなく、複数のサイトを並行して活用するといいでしょう。

図 10-5　おすすめのクラウドソーシングサイト

ランサーズ	業歴が長く案件数も多い。コンペ方式もあるのでLPデザインの外注にもおすすめ
クラウドワークス	ランサーズに次ぐ大手サイト。システム手数料はランサーズより安い
@SOHO	手数料無料のプランあり
シュフティ	女性に特化したサイトで、子育て中の主婦が多く登録。海外在住の人もいる
ワークシフト	外国人に特化したサイト。翻訳、通訳の外注に

ⓘ 応募者のなかから面談する人を絞る

クラウドソーシングサイトで応募があったら、図10-4（⇒P.299）を参考に面談する人を絞りましょう。私の場合、**メールでの面談日程調整時や面談前などに以下のような傾向が見られる方は、仕事ができない、もしくは納期を守らない可能性が高いので原則不採用にしています。**

- ▶こちらからの質問に答えない。もしくは的外れな回答をする
- ▶見当違いな質問をする
- ▶「経験はないが試しにやってみたい」「できるか不安」と口にする
- ▶Zoom、Chatworkなどのツールの使い方がわからないという
- ▶アピールポイントが見当たらない
- ▶作業に充てられる時間が極端に少ない
- ▶自己紹介がないなど素性がよくわからない
- ▶面談の案内連絡をしてから1日経っても返信がない
- ▶面談直前に自己都合でリスケを提案してくる
- ▶断りもなく面談時間に遅れる

(!) 面談のポイントと注意点

　候補として残った人に面談を打診します。**面談は、選考の場として厳格に考えるのではなく、むしろコミュニケーションや情報交換の場と考えましょう。**「ジャッジしよう」と上から目線で接すると応募者の印象が悪く、たとえ採用しても長続きしない可能性があります。

　また、応募者の印象という意味では、あまりプライベートなことは詮索しないようにしましょう。「結婚して何年ですか？」「ダンナさんはどんな仕事をしていますか？」など仕事とは関係のないことまで聞くのはマナー違反ですし、心証も悪くします。

■ 面談の進め方

　面談の一番の目的は、選考というよりも、自分との相性を確認するために相手を知ることです。そのために以下のことを説明したり確認したりしましょう。

> ▶ 応募してくれたことに対して感謝する
> ▶ 面談前に雑談、アイスブレイクを入れる
> ▶ 自己紹介して仕事内容の説明をする
> ▶ 応募の動機やアピールポイントを確認する
> ▶ 応募者の今の仕事の状況を確認する
> ▶ 応募者の以前の仕事を確認する
> ▶ 応募者の仕事に対する姿勢・意欲を把握する
> ▶ 試用期間について説明する
> ▶ 報酬について説明する
> ▶ 希望する報酬額について確認する（即答する人は優秀な可能性が高い）
> ▶ 長期的に仕事を依頼したい旨を伝える

■ 採否を決めるポイント

　面談が終わったら採用の可否を決めます。ポイントは「即戦力になるか」という点と「相性はどうか」という点です。即戦力かどうかはもちろん気にかかりますが、特に長期的にお付き合いしたい場合は相性を重視するようにしましょう。

　なお、不採用とした方に対しても丁重に断りを入れるようにしてください。よほど「この人は無理……」という人でない限り、今後別の作業を依頼する可能性があることを示唆してもいいでしょう。

(!) 作業を依頼する際のポイントと注意点

　採用する人が決まったら、お互いスムーズに作業できること、長いお付き合いができることを目指しましょう。そのために必要なことを説明します。

■ 試用期間を定める
　どの作業についても、基本的に試用期間を定めるようにしてください。面談ではいいと思っても、実際に作業を依頼してみたら違ったということもあり得ます。試用期間は、作業にもよりますが1カ月間くらいを目安にしてください。
　複数人採用して、試用期間中よい仕事をしてくれた人だけ継続的に依頼するのもいいでしょう。よい外注スタッフに出会えるまで募集、面談、試用期間を繰り返し、自分が理想とするチームを作ってください。

■ 一から十まで口出しせずに長い目で見守る
　作業の依頼で注意したい点は、外注スタッフから質問が来ても手取り足取り回答しないようにすることです。あまり完璧に回答してしまうと、外注スタッフが自分で考えなくなってしまいます。親身に教えたほうがいいと思うかもしれませんが、度が過ぎると自分の負担が重くなりますし、外注スタッフも成長しないのでお互いにマイナスです。長くお願いしたいと思う作業ほど、あえて自分で考えてもらうようにしましょう。
　動画やPDFなどでマニュアルを渡して外注スタッフに見てもらい、不明点は自分で調べながら作業してもらいます。そのうえで「わからないことは聞いてください」というスタンスでちょうどいいくらいです。致命的なエラーになるようなことでなければ、基本は見守るようにしてください。もし外注スタッフにうまく伝わらないところがあれば、マニュアルを適宜見直すようにします。
　また、最初から完璧を求めず、長い目で育てるつもりで臨みましょう。**単純作業であっても、最初に出せる能力は、その人の30〜50%くらいと考えてください。**作業してもらったらそれを確認して修正点を出していきます。作業してもらいながら間違いを理解してもらったほうが早いこともあります。

Chap.
10

■ 外注スタッフとのやりとりを円滑にするツール

外注スタッフとのやりとりは、普段ご自分が慣れているツールを使うのが一番です。ただ、もし特にこだわりがないのなら以下のツールをおすすめします。

外注スタッフとのやりとりには、**「Chatwork」**や**「Slack」**などのビジネスチャットツールが便利です。メールでもいいのですが、チャットのほうが手軽で、メッセージの履歴が管理しやすいです。

データのやりとりは、オンライン上のストレージサービスを使うとファイルの共有が簡単にできます。おすすめは**「Googleドライブ」**か**「Dropbox」**で、Googleドライブを使うのであれば、「Googleドキュメント」や「Googleスプレッドシート」などでデータを管理するといいでしょう。ファイルサイズが大きい資料をやりとりするなら、**「GigaFile便」**や**「firestorage」**などの無料ファイル転送サービスを使ってください。

オンライン通話は、Zoomで問題ありません。Zoomは以前は1対1のミーティングなら無料プランでも時間制限がありませんでしたが、現在は40分の時間制限が設けられています。海外メーカーとのWebミーティングなどZoomの使用機会は確実にあるので、頻繁に使う方は時間制限のない有料プランに加入するといいでしょう。

■ 外注スタッフと長くお付き合いするために

なかにはZoomはもちろんチャットでもやりとりする機会がない作業もあると思いますが、その場合でも月に1回はチャットでいいのでコミュニケーションをとるようにしてください。タイミングは、月額報酬を支払う際がちょうどいいでしょう。

その際、**感謝やねぎらい、褒め言葉を忘れないようにしてください。**本当に仕事ができる人であれば報酬アップも検討しましょう。また、「こうしたらどうですか?」と何か提案してもらったときには、案を採用するしないにかかわらず肯定的な態度をとるようにしてください。

間違いに対して怒ったり否定したりして、外注スタッフをヘコませると辞めてしまいます。また、外注スタッフが作業できる時間帯を考慮せずに大量に作業を依頼するのも離脱要因になります。主婦の方などは作業できる時間が限られていることも多いです。作業量を増やしたいときは、報酬アップとセットで「この分量の作業はできますか?」と確認をとることです。

① 商品リサーチ作業を外注するコツ

リサーチの外注については、商品リサーチ作業に加えてメーカー窓口にメールを送信するところまでを任せることが多いです。リサーチ手順は教育する必要がありますが、作業に慣れてくると自分では見つけられないようなよい商品を外注スタッフが見つけてくれることもあります。よい商品やメーカーを見つけてもらうためには、少なくとも以下のことはマニュアル化しておく必要があります。

> ▶ Kickstarter、INDIEGOGOの商品リサーチ方法（⇒P.56）
> ▶ 派生リサーチ（⇒P.66）などのリサーチのコツ
> ▶ 海外クラファン支援額などの商品選びの判断基準（⇒P.74）
> ▶ 初回メールのテンプレート（⇒P.110）

報酬は、たとえばリサーチ＆メール1件につき50円くらいが目安ですが、メーカーから反応があれば報酬をプラスするのもいいでしょう。100件メールしたとして月5,000円以上の報酬になります。なお、リサーチだけでメールを送らない場合は1件20円程度が目安です。作業環境はPCが使えるのはもちろん、Google Chromeに慣れていること、ExcelかGoogleスプレッドシートを十分使えることが前提となります。

　なお、メーカーへの初回メールに慣れてきてパターンがつかめてきた方には、2通目以降のメール送信内容も伝えて任せてもいいでしょう。たとえば「メーカーから『サポートの範囲はどの程度でしょうか？』と聞かれたら、『私たちのサポートに費用は不要です。御社は、私たちに日本での販売権利と商品のご提供をお願いします』と返してください」などです。

　ただし、これはあくまでメーカーとの交渉パターンがつかめて自分なりにテンプレ化ができた場合の話です。メーカーとの交渉はクラファンの内容を十分理解していないと難しいタスクですから、交渉そのものを丸投げしてしまうようなことはおすすめしません。

Chap.
10

ⓘ 翻訳作業を外注するコツ

　交渉メールなどの翻訳は、最初のうちはGoogle翻訳やDeepL翻訳で間に合います。しかし、何回もメールをやりとりして込み入った内容に話が及ぶと翻訳サイトだけでは不十分で、そんなときに翻訳を外注するとスムーズにメールのやりとりができます。また、翻訳サイトで訳すより外注したほうが正確な英語で返信ができ、コミュニケーションの精度も上がります。英語が得意な方を除いて比較的早めに外注化を検討したほうがいい作業です。

　ただし、毎回日本語のメール文章を外注スタッフに送って、翻訳された文章をメーカーに送信する工程は地味に面倒で、生産性が悪いです。そのため、**図10-6**のように外注スタッフもメールのやりとりが見られるフローにするといいでしょう。

図 10-6　メーカー交渉と翻訳外注のフロー

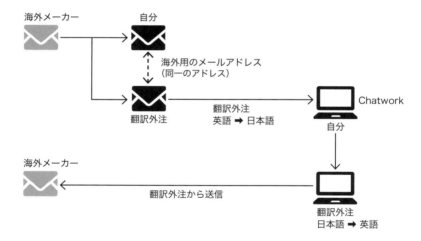

　具体的には以下のように外注スタッフとメールのやりとりを共有します。そうすれば外注スタッフにも交渉内容を把握してもらえるので依頼作業を簡略化できます。仮に外注スタッフが交代しても、Gmailのパスワードを変えるだけでよいので、セキュリティ管理も簡単です。

① メーカー交渉専用のメールアドレスを独自ドメインで準備する (⇒P.47)
② 独自ドメインをGmailに連携してGmailで送受信できるようにする
③ GmailのIDとパスワードを外注スタッフに渡す
④ メーカーから届いたメールを外注スタッフに日本語に翻訳してもらい、Chatworkで送ってもらう
⑤ 日本語の返信文をChatworkで外注スタッフに送る
⑥ 外注スタッフが英語に翻訳してメーカーにメールを送る

■ Webミーティングの通訳

　Webミーティングの通訳については、交渉メールの翻訳外注スタッフに依頼する方法と、別に依頼する方法があります。前者のほうが交渉内容を把握している分、依頼するのは楽です。

　ただし、どちらにしてもWebミーティング前に交渉内容の認識合わせをするのは必須です。自分が話したことを英語に訳してもらうだけでは、強調してメーカーに伝えたいことでも、通訳で弱めのトーンで伝えられてしまうなど解釈に若干の差異が生じやすいからです。交渉内容は、必ず通訳スタッフと共有するようにしましょう。

(!) LPデザイン作業を外注するコツ

　LPのデザインは専門性が高く、外注することはWebデザインの経験がある人を除いてほぼ必須のタスクです。「餅は餅屋」でプロに任せましょう。費用感についてはP.152を参考にしてください。

■ 指示書を渡してイメージを正確に伝える

「餅は餅屋」とはいえ、デザイナーは商品のことは何も知らないので、「よい感じでお願いします」だけではLP制作は100％失敗します。**実際、LPデザインの外注で発生するトラブルで一番多いのは、自分のイメージと全然違う、多くの支援が得られそうもないLPが納品されてしまうこと**です。

「プロのデザイナーの意見をうかがいたい」と、デザイナー発案ベースで発注して失敗するケースもよくあります。これらは、コミュニケーションロスや曖昧な指示出しを改善することで解決します。

　よほどダメなデザイナーでない限り、発注する私たちの頭のなかのイメージを固め、具現化したものへと引き出す努力をしてくれます。「こんな感じ」とい

Chap. 10

う曖昧な指示ではなく、素材と一緒に指示書を渡して細かくイメージを伝えましょう。Zoomでいいので、なるべく一度は打ち合わせの場を設けてください。

　P.4の特典用QRコードからLP指示書の様式がダウンロードできるので参考にしてください。ただ、この様式にこだわらなければならないわけではありません。大切なことは、ご自分のイメージがしっかり伝わることです。手書きのほうが伝えやすいという方は、それでもかまいません。

■ LPデザイン外注募集例文

　以下に、クラウドソーシングサイトを利用したLPのデザイン外注募集例文を示します。応募があった場合は、なるべくデザイナーの実績やポートフォリオを確認して、発注するデザインのイメージに近い制作ができそうなデザイナーを選びましょう。

件名

クラウドファンディングサイト「Makuake」のランディングページ作成のお仕事

本文

ご覧いただきありがとうございます。
はじめまして、○○と申します。

クラウドファンディングサイト「Makuake」用のランディングページ（LP）作成案件を募集させていただきます。
商品は、すでに海外クラウドファンディングにおいて多くの支援金額を集めている○○になります。

【依頼内容】
・全体の構成
・画像加工（文字入れ、画像組み合わせ加工など）
・簡単なバナー作成
・動画の簡単な編集（字幕入れなど）
・Makuake登録（Makuakeの申請ページから画像やテキストを登録し、画像の配置、文字の色や大きさを指定していく作業）

構成についての大まかな指示書、テキスト、参考LPはこちらで準備しています。

310

イメージ画像等でお手持ちの素材がない場合は、相談のうえでご用意します。

【重視する点】
・ECサイトなどでLP作成経験をお持ちの方（クラウドファンディングでのLP作成経験があればなおよいです）
・ターゲット層を意識したLPを作成していただける方
・（芸術ではなく）商業デザインができる方
・デザインの細部まで気配りができる方
・ZoomやChatworkでの打ち合わせが苦にならない方
・やりとりのなかで柔軟な発想や対応ができる方

【応募について】
以下の内容をご記入のうえ、エントリーをお願いいたします。

・お名前
・性別
・年齢（年代でかまいません）
・過去にやってこられた仕事（実績やポートフォリオ）
・1週間のなかで作業できる日
・1日のなかでとれる作業時間と作業時間帯
・連絡のとれる時間帯

【注意点・禁止事項】
・ほかのサイトなどに登録されているデザインや商標の転用など、他社の知的財産権を侵すこと
・ほかのクライアントにすでに提案した内容の転用など

今回はMakuakeのLP作成ですが、同じ商品をAmazon、Yahoo!ショッピング、自社ECサイトへと展開していきます。

今後、別商品でのLP作成の予定もありますので、継続して仕事をしていただける方のご応募をお待ちしています。
長期でのお付き合いを希望しているので人柄を優先したいと考えています。
ご不明な点やご相談などありましたら、お気軽にお問い合わせください。

ビジネスパートナーとして長くお付き合いさせていただきたいと思っています。
ご応募お待ちしております！

Chap.
10

311

10 5 　融資という 選択肢を持っておく

　先行予約販売である物販クラファンは、支援された数だけ仕入れればいいので在庫リスクはありません。しかし、リターン商品生産前には総額30〜50%程度の前払いを海外メーカーに行うケースが多いです。複数のプロジェクトを掛け持ちするなどで資金力に不安が出てきた場合は融資を検討すると選択の幅が広がります。

　また、一般販売については単純転売など通常の物販と同様のキャッシュフローとなります（図1-1⇒P.22）。そのため、資金繰りを改善するための融資の知識があるとビジネスを有利に拡大することができます。

　物販クラファン初心者の方は、最初は融資までは必要ないことが多いですが、知っておくと将来強力な武器になります。金利は大まかにいって2〜3%程度のものが多いです。

(!) 好条件で融資を受けられるタイミング

　基本的には「そろそろ融資を受けたい」と思うタイミングで申請すると考えてもらってかまいません。特に以下の場合は審査が通りやすく、絶好のタイミングといえます。

■ 創業時（法人設立時）

　法人設立時は融資を受けやすいタイミングです。たとえば日本政策金融公庫の「新創業融資制度」は、創業2年以内であれば無担保・無保証人で利用できます。創業時ということで決算書を出すことができないので、代わりに事業計画書を提出します。

　事業計画書は詳細に書くというよりは、自分の口で事業内容をわかりやすく説明できるように書くことが大切です。特に創業時の融資の審査では、事業に対するミッションやビジョンが重視される傾向があります。

　基本的には半年分程度の運転資金（仕入代金、外注費、備品代、事務所の賃貸料など）を申請するといいでしょう。目安はだいたい月商と同程度〜2倍、もしくは資本金の2倍程度です。

■ 借入金の返済が完了したとき

金融機関は過去に行われた融資の実績も審査対象としており、融資完済の実績が積み上がるほど信用力が上がります。また、借入金の返済が完了したタイミングでは、金融機関のほうから融資の継続を打診してくることも多いです。金融機関は融資することが商売なので、信用力の高い人には貸したいのです。

短期融資の場合はスピーディに完済の実績を作ることができるので、あえて短期融資を申請するのもいいでしょう。短期融資を受けたあとに引き続き長期的な運転資金目的で融資を申請するとスムーズです。

■ 雇用を検討しているとき

事業規模が大きくなり、スタッフの雇用を始めるときも融資のよいタイミングです。「地域の活性化のために人を雇用したい」というのは、特に日本政策金融公庫や信用金庫、信用組合には効く理由です。スタッフ雇用の際は雇用関係の助成金申請もあわせて検討してください。

ⓘ 融資を受けられる金融機関

融資を受けられる金融機関は以下のとおりです。大まかにいうと、審査が通りやすい順番は、**日本政策金融公庫＞信用金庫、信用組合＞地方銀行＞都市銀行**となります。

1つの金融機関とだけ付き合うのではなく、複数の金融機関と付き合うようにすると、選択の幅が広がったりよい条件の融資を引き出せたりします。また、同じ金融機関でも担当者によって条件の良し悪しや審査結果が変わるので、よい担当者と出会えたらチャンスととらえて良好な関係を築けるように努めましょう。

■ 都市銀行

2期連続で年商10億円を超えるくらいの事業規模でないと、ほぼ融資は不可能で、最低融資額も1億円以上が目安となります。そのため、多くの方は選択肢から外れます。

■ 地方銀行

地方銀行も融資のハードルは高いですが、都市銀行ほどではありません。銀行によって方針はさまざまですが、最近は500万円くらいの融資でも受け付

けてくれるところがあります。融資の実績を積んだら問い合わせてみるといいでしょう。

■ 信用金庫、信用組合

　信用金庫、信用組合は地域の発展に寄与するという大義名分があるため、比較的融資を受けやすい金融機関です。300万円程度の融資でも快く対応してくれる担当者が多いです。

■ 日本政策金融公庫

　創業時や融資がはじめての場合でも、融資のハードルが低いのが日本政策金融公庫です。**女性、若者、シニア層の起業家を対象にしたものや、いったん廃業したものの起業に再挑戦する起業家を対象にした融資など、さまざまなメニューがあります。また、新創業融資制度など無担保・無保証人で受けられる融資もあります。**

　日本政策金融公庫は、国の政策実現のための機関という表現が適しており、国の政策目標に沿って用意されたメニューにご自分の事業が当てはまっていることが必要です。ご自分に適した融資は何か知りたい場合は公庫に直接相談してください。担当者が丁寧に応じてくれます。

⊘ 低金利、長期間の借入が可能な制度融資

「制度融資」とは、地方自治体、金融機関、信用保証協会が連携して提供する融資のことをいいます。**金利や保証料について補助があるため低金利の融資を受けられます。**銀行から直接受ける融資より審査のハードルが低く、借入期間も長いことが多いです。

　お住まいの自治体によって制度融資の内容は違います。お住まいの地域の金融機関、地域の商工会議所、自治体に問い合わせてみてください。

⊘ 物販クラファンで融資を獲得するために

　金融機関も商売なので、基本的にはお金を貸したいと考えています。特に日本政策金融公庫や信用金庫、信用組合であれば融資のハードルは低いので、「お金を借りるのは難しい」という思い込みは排除してください。

　審査に通って融資を得られるポイントをまとめた特典をお渡しします。融資を得るためにやってはいけないこと、担当者への説明のよい例・悪い例などを

紹介しています。

　私個人の経験では、300〜500万円くらいの融資であれば問題なく通すことができています。次のステージに上がるために融資を検討したい方は、P.4のQRコードからダウンロードしてください。

- -

`10` `6` クラファンは 助成金、補助金とも相性がいい

- -

　起業家・経営者で助成金、補助金を利用する人は多いですが、最近は各自治体でクラファンに特化した助成金や補助金が増えています。助成金、補助金は融資と違って返済不要で、かかった経費の何割かの金額を受給できるので、積極的に申請して活用することをおすすめします。

　物販クラファンで有効な助成金、補助金の一部を紹介します。ほかにも自治体によって類似の助成金、補助金があります。頻繁に新しいものが追加されたり終了したり名称や条件が変わったりするので、その都度確認することが必要です。

ⓘ クラファン関連の助成金

　ここでは、クラファン関連の助成金を3つ紹介します。執筆時点では、**それぞれ別のクラファンプロジェクトで、かつ違う商品であれば3つとも申請が可能**です。いずれも東京都管轄の助成金ですが、本店や事業所が東京になくても活用できる場合があります。Makuake、GREEN FUNDING、CAMPFIRE、machi-yaなど11サイトが対象で、申請要件を満たし、必要な手続きを経て受給できます。

■ クラウドファンディング活用助成金 (https://entre-salon.com/crowdfunding/about/)
　クラファン出品にかかる手数料やLP作成、広告費の一部を補助することで、創業やソーシャルビジネスなどへの挑戦促進を目的とした助成金です。

助成対象経費（令和4年分）

① 利用手数料、決済手数料、早期振込手数料（取り扱いCF事業者から調達資金を受け取るために必要な手数料）

② プロジェクトページを作成するための費用（プロジェクトページの文章・画像作成費用など）

③ プロジェクトの広報活動にかかる費用（SNS等によるWeb広告費用、実店舗での展示費用など）

※ 上記の利用手数料の助成は、2022年4月1日〜2023年3月15日までの間に取り扱いクラファン事業者に対して支払っていることが必要

助成金額

① 助成対象経費の $\frac{1}{2}$（上限40万円）

② 新型コロナウィルス感染症対策特例に該当する場合は助成対象経費の $\frac{2}{3}$（上限50万円）

■ **クラウドファンディング再構築助成金**（https://entre-salon.com/saikouchiku/about/）

　事業の見直しや再構築にチャレンジし、事業の継続・発展を図る方を対象とする助成金です。2020年2月以降の任意の3カ月の各月の売上高が、2020年1月以前の直近同月の売上高と比較し、それぞれ5%以上減少していることが条件になります（**図10-7**）。

図10-7　クラウドファンディング再構築助成金の売上高申請条件

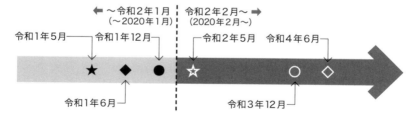

この場合、☆令和2年5月、○令和3年12月、◇令和4年6月の売上高が、

それぞれ ★令和1年5月、●令和1年12月、◆令和1年6月の売上高と比較し、**5%以上減少**

出典：銀座セカンドライフ株式会社　クラウドファンディング再構築助成金の概要
https://entre-salon.com/saikouchiku/about/

　助成対象経費はクラウドファンディング活用助成金と同様です。助成金額の上限は、助成対象経費の $\frac{2}{3}$ までで50万円までとなります。

■ **クラウドファンディングDX助成金** (https://entre-salon.com/dx/about/)

　主にIoT、AI、ロボットなどのデジタル技術を活用した新商品・新サービスが対象になります。助成対象経費や助成金額の上限はクラウドファンディング再構築助成金と同じです。

　これら3つの助成金の申請受付期間は、2022年6月24日〜2023年3月15日までで、交付決定額が上限に達した時点で受付終了となります。

⚠ 物販クラファンで使える補助金

　一定の要件を満たす多くの中小企業や個人事業主に幅広く活用されているのが「小規模事業者持続化補助金」です。小規模事業者の販路開拓や生産性向上の取り組みを支援する補助金で、主に**図10-8**のように「一般型」と「低感染リスク型ビジネス枠」に分けられます。

図10-8　小規模事業者持続化補助金

	一般型	低感染リスク型ビジネス枠
補助対象事業	地道な販路開拓、生産性向上のための取り組みをしている事業	感染拡大防止と事業継続を両立させるための対人接触機会に資する前向きな投資を行う事業
補助率	$\frac{2}{3}$	$\frac{3}{4}$
上限	50万円（通常枠）	100万円
補助対象経費（共通部分）	・機械装置等費　・広報費 ・開発費　・資料購入費 ・雑役務費　・借料 ・専門家謝金　・設備処分費 ・委託費　・外注費	
その他補助対象経費	・展示会等出展費 ・旅費 ・専門家旅費	・展示会等出展費（オンラインのみ） ・感染防止対策費

※ 2022年11月時点

ご自分が申請したい事業がどちらに当てはまるかは要確認ですが、どちらかといえば受給額の上限が大きい低感染リスク型ビジネス枠がおすすめです。小規模事業者持続化補助金は審査があり、不採択になる可能性があります。採択率は時期によって違います。

　事業計画の実現性について申請書に明確に記載することが重要です。専門用語を使わず、図や写真もまじえながら、補助金を活用することで事業のどんな問題が解決し、何が実現するかを明記してください。

自分の力で稼ぎ続ける
一流の物販ビジネスオーナーへ

あ　と　が　き

　最後までお読みいただきまして、ありがとうございました。

　本書では、物販クラファンで大きな支援を得るための方法を解説しました。た
しかに、本書のとおりに実践すれば1プロジェクト数百万円の支援は可能ですし、
1,000万円超の支援を狙うことも可能です。しかし、**物販クラファンに取り組む以
上は、ここで終わりにしてほしくないと考えています。** あくまでクラファンは物販
ビジネスの最初のきっかけに過ぎません。クラファンの最大の魅力は、無在庫でリ
スクなく、最小の初期資金で始められるのに大きなビジネス展開につなげられるこ
とです。最終的に自社ECサイトで展開したり、大規模なB2B取引につなげたりで
きるのは、今のところクラファン以外に手段がありません。

　さらに大きな夢を語ると、「クラファン ➡ 一般販売」を繰り返すことで自社ブラ
ンドを育てて、自社の力で商品を売り続けることができます。そこまでいくと**物販
ビジネスというよりは、一種の商社のレベルまでビジネスを拡大できます。** 私は、
徐々にブランドや商品カテゴリーを絞りながらブランド力を大きくするという今後
の展望を描いています。ブランドを育てたら、事業を譲渡（M＆A）して、少ない
税金で大きなキャッシュを得ることもできます。そんな大きな夢を実現できるのが
物販クラファンです。

　もちろん、本書の内容を読んで、すぐに成功できるとはいいません。知識と実
践には大きな差があります。しかし、実践と改善を繰り返すことでメーカーとの交
渉力や商品の販売力といったスキルが養われていきます。物販クラファンはテンプ
レートどおりに真似して稼げるビジネスではないからこそ、ライバル不在の状況を
作り出すことができます。物販クラファンの実践を重ねることで、長期的に稼ぎ続
けられる一生モノのスキルが身につくでしょう。それが、「自分の人生を最高に楽し
むために必要な力」と思っています。本書を通じて、1人でも多くの方が魅力的な新
商品を日本市場に広める一流の物販ビジネスオーナーになることを願っています。

2022年11月

成田 光

著者紹介

成田 光（なりた・ひかる）

大手物流会社で朝5時に家を出て夜9時に帰る生活を12年間送る。体力的な不安や家族との大切な時間の確保の観点から「時間」「場所」「お金」を自分でコントロールする必要性に気づく。当初は輸入転売を徹底的な効率化を意識して実践したことで副業ながら月利94万円を達成。しかしライバルとの価格競争で収益が悪化し、社会的信用の低さから後ろめたさも感じる。そこでライバルとの競争も在庫リスクもなく、家族・友人に堂々と話せる物販クラウドファンディングに舵を切る。

これまで自身が立ち上げた物販クラウドファンディングのプロジェクトは100件以上、総支援額は2億円を超える。物販クラウドファンディングのサポート実績は600人以上、サポート総支援額7億円以上に達し、1プロジェクトで支援額300〜3,000万円を獲得する人が続出する。自身が構築した物販クラウドファンディングの実践方法を伝えて、「自分の人生を、最高に楽しむために必要な力を身につけるお手伝い」をライフワークとしている。

公式ブログ　クラウドファンディングを実施したい方に
　　　　　　役立つコンテンツを幅広く提供する
　　　　　　「クラファン部」

カバーデザイン................Re:D Co.
本文デザイン/レイアウト......須藤康子＋由比
　　　　　　　　　　　　　　（島津デザイン事務所）
コーディネート................小山睦男（インプルーブ）

物販×クラウドファンディング 実践大全
けた違いに儲かる先端技法が1冊でわかる

物販×クラウドファンディング 実践大全
けた違いに儲かる先端技法が1冊でわかる

2022年12月31日　初版　第1刷発行
2023年 2月 2日　初版　第2刷発行

著　者　　成田 光（なりた ひかる）
発行者　　片岡 巌
発行所　　株式会社技術評論社
　　　　　東京都新宿区市谷左内町21-13
　　　　　電話　03-3513-6150　販売促進部
　　　　　　　　03-3513-6166　書籍編集部
印刷／製本　日経印刷株式会社

定価はカバーに表示してあります。

ISBN978-4-297-13208-8 C0033
Printed in Japan

お問い合わせについて

本書の内容は執筆時点における情報であり、予告なく内容が変更されることがあります。
本書は情報の提供のみを目的としています。本書の運用は、お客様ご自身の責任と判断によって行ってください。本書に記載されているサービスやソフトウェア、また特典としてダウンロードしたファイルの実行などによって万一損害等が発生した場合でも、筆者および技術評論社は一切の責任を負いかねます。
本書の内容に関するご質問は弊社ウェブサイトの質問用フォームからお送りください。そのほか封書もしくはFAXでもお受けしております。
本書の内容を超えるものや、個別のコンサルティングに類するご質問にはお答えすることができません。あらかじめご承知おきください。

〒162-0846
東京都新宿区市谷左内町21-13
（株）技術評論社　書籍編集部
『物販×クラウドファンディング
　　　　　実践大全』質問係

FAX　03-3513-6183
質問用フォーム　https://gihyo.jp/
　　　　book/2022/978-4-297-13208-8

なお、訂正情報が確認された場合には、
https://gihyo.jp/book/2022/978-4-297-13208-8/
supportに掲載します。